Les *Uniques*

FRANÇOIS AVARD

Les *Uniques*

LES INTOUCHABLES

Les Éditions des Intouchables bénéficient du soutien financier de la SODEC, du Programme de crédits d'impôt du gouvernement du Québec et sont inscrites au Programme de subvention globale du Conseil des Arts du Canada.

Nous reconnaissons l'aide financière du gouvernement du Canada par l'entremise du Programme d'aide au développement de l'industrie de l'édition (PADIÉ) pour nos activités d'édition.

LES ÉDITIONS DES INTOUCHABLES
816, rue Rachel Est
Montréal, Québec
H2J 2H6
Téléphone: (514) 526-0770
Télécopieur: (514) 529-7780
www.lesintouchables.com

DISTRIBUTION: PROLOGUE
1650, boulevard Lionel-Bertrand
Boisbriand, Québec
J7H 1N7
Téléphone: (450) 434-0306
Télécopieur: (450) 434-2627

Infographie: Infoscan Collette
Conception de la couverture: Jocelyn Bigot, Geneviève Nadeau
Photographies de l'auteur: Crila

Dépôt légal: 2006
Bibliothèque et Archives nationales du Québec
Bibliothèque nationale du Canada

ISBN-10: 2-89549-255-7
ISBN-13: 978-2-89549-255-9

PETITE SAGA OU GROSSE SAGUETTE

Mot de l'auteur

Les Uniques paraît d'abord aux éditions Guérin en 1993, deux ans après mon premier titre, *L'Esprit de bottine*. Moi, j'appelle ça « un roman ». D'autres parlent d'un recueil de nouvelles. Je propose un compromis : disons qu'il s'agit d'un roman constitué d'une suite de nouvelles littéraires. Tous les textes racontent une seule et même fille, une fille qui eut la présence d'esprit de me quitter. Car le bonheur m'inspire moins que le malheur.

Les Uniques est d'ailleurs à la fois une éruption d'inspiration, une exploration stylistique, une lettre d'amour un peu trop longue, un bouquin-concept, une intoxication aux vapeurs d'alcool, un marathon d'effets, mes premiers clins d'œil à d'autres œuvres (une récurrence, par la suite, dans la « manière avardienne »…), une accumulation de cris dans le vide. *Les Uniques*, c'est trois mois assis devant ma machine à écrire dans un logement si minable que mon état de délabrement mental donnait tout de même du lustre à l'immeuble.

Je ne touchais pas encore le fond : je l'apercevais et y rebondissais même, en fin de nuit.

On dit qu'il vaudrait parfois mieux qu'un premier roman ne paraisse jamais. Toutefois, la publication de *L'Esprit de bottine* me motiva énormément et me confirma dans mon choix d'écrire pour vivre ou de continuer à vivre pour écrire. Malgré cela, *Les Uniques* ne constitue pas une suite très logique dans le corpus d'Avard. Il s'agit plutôt d'un intermède. Une pause exploratoire. L'exhibition d'un malheur et d'une douleur aussi banals qu'immatures.

La préface qui suit, signée Antonio Di Lalla, aborde avec chic la stylistique alcoolique de l'auteur mélancolique. C'est pourquoi j'abuserai plutôt de votre temps ici pour vous narrer une petite saga...

À l'origine, ce bouquin devait s'appeler *La femme de ma vie et autres histoires sordides.* Toutefois, aux éditions Guérin, on m'opposa que les longs titres ne vendaient pas. Eh ben, devinez quoi : il ne s'est pas vendu davantage avec un titre aussi court que *Les Uniques.* Fort heureusement, au Québec, on ne parle jamais d'échec commercial en littérature, sinon on se répéterait *ad nauseam.*

Pourtant, pour la première fois, les critiques littéraires traitent de mon œuvre et en disent des choses très chouettes. Dans *La Presse*, Réginald Martel, grand manitou d'alors en littérature québécoise, signale que « c'est drôle souvent, c'est même drôle tout le temps, au point qu'on risque d'oublier que cette histoire est une histoire d'amour déçu et que M. Avard sait trouver les mots justes, quitte à mêler rire et souffrance[1] ». Dans *Lettres québécoises*, Claudine Potvin écrit : « La verbosité, la prose, l'abondance de détails, la précision, les jeux de mots, le dérapage linguistique, le sens de la digression, le ton humoristique font de ce recueil un livre plein d'ironies savoureuses[2]. » Dans *Québec français*, on dira : « Pour les curieux de connaître une vision originale de la femme, les fanatiques de la théorie freudienne et les intéressés à une savoureuse critique sociale, une seule suggestion : *Les Uniques* de François Avard[3]. »

Mieux encore, se produit un petit miracle. Lisant mon magazine humoristique favori, le mensuel français *Fluide glacial*, je tombe sur une critique sympathique de mes deux premiers titres :

Trois découvertes ce mois-ci, petits veinards.
Un Québécois pour commencer, François Avard.
Son premier roman, L'Esprit de bottine *(1991),*

---

1. Réginald Martel. « Le génycide de M. Avard », critique parue dans *La Presse*, Montréal, dimanche 16 janvier 1994, p. B3.
2. Claudine Potvin. « Les nombreux angles du quotidien », critique parue dans *Lettres québécoises*, Montréal, numéro 73, printemps 1994, p. 27 et 28.
3. Geneviève Duquet. « Nouveautés », critique parue dans *Québec français*, numéro 96, hiver 1995, p. 12.

racontait sa rupture désastreuse avec sa copine
dans une langue débridée (très québécoise de
surcroît), et un net sens de l'exagération trucu-
lente. Le second (1993) s'appelle Les Uniques
et trace quelques portraits de dames cocasses,
la Ffreuse, la Moureuse, la Parfaite, etc., en
terminant par la Pula (celle qu'est partie), dans
laquelle il fait montre d'un autre ton, plus
tendre, plus ambitieux. Pour les autres, c'est
le massacre à la tronçonneuse. Pour décrire
une femme laide, il prend huit pages, dont vous
n'avez pas fini de crever de rire. François Avard
va progresser, il est jeune, il est bien parti. Il est
publié aux éditions Guérin, mais je ne sais pas
comment on les trouve en France, sauf chez les
libraires de talent, qui sont aussi ceux de bonne
compagnie[4].

L'allusion à la tronçonneuse tient peut-être
au fait qu'en France, on nous imagine encore
tous bûcherons. Il n'en demeure pas moins que
lire ces lignes entre une bédé de Gotlib, d'Edika
et de Binet, ça gonfle davantage l'orgueil que
les ventes. J'ignore comment mes deux romans
sont tombés entre les mains du critique littéraire de *Fluide glacial,* mais je sais pourquoi
mes romans ne tombent pas entre les mains
de quiconque au Québec : on ne les trouve alors
que dans les librairies Guérin.

Qui plus est, *Les Uniques* est publié sans
révision. Il compte tant de fautes et de coquilles

4. Arthur Conandoc. « Humour », critique parue dans *Fluide glacial,*
   Paris, numéro 219, septembre 1994, p. 39.

que Réginald Martel, cité plus haut, termine sa critique par un seul élément négatif: le travail de l'éditeur. Commence alors un échange de lettres amères et vitrioliques entre le chroniqueur littéraire et mon éditeur, dont j'obtiens chaque fois une copie conforme, tant dans les pages de forum de *La Presse* que dans le privé.

Les Uniques est paru chez Guérin parce que le contrat que j'avais signé d'un élan enthousiaste et puéril pour *L'Esprit de bottine* m'obligeait à présenter mes cinq titres suivants en préférence à cet éditeur.

Dès lors, je m'imagine mal continuer une brillante (!) carrière d'écrivain dans ces conditions. Prétextant la négligence de l'éditeur lors de la parution de *Les Uniques*, j'obtiens la résiliation de la «clause de préférence». Mes prochains titres pourront paraître n'importe où. Et ce n'importe où, ce sera d'abord aux Intouchables quatre ans plus tard, avec *Le Dernier continent*, roman acclamé par la critique, mais vendu grâce à Guy A. Lepage et son rendez-vous dominical. Puis, ce sera chez Libre Expression, où paraîtra *Pour de vrai* en 2003. Désormais, mes livres se vendront mieux: on me verra la face à la télé pour en parler.

François Avard
2 octobre 2006

PRÉFACE

Le plaisir de rire

Après la lecture de *La Svelte*, première nouvelle du recueil, j'hésite entre la démence et le génie. Avard souffre-t-il de folie ou offre-t-il à la littérature québécoise le cadeau de la création. Le texte me dérange. Dès lors, l'émotion entreprend une chaude lutte contre la raison. Sans vainqueur. Indécis et troublé, j'ai recours à l'opinion de tiers. On me répond par des points de suspension, encadrés d'exclamations et d'interrogations. Je poursuis donc ma lecture. C'était en octobre 1994; trois semaines plus tard, François Avard commencerait un stage d'enseignement dans mes classes de français.

Si *La Svelte* m'incommoda, *La Clowne* me bouleversa. Le message est clair. Dans notre société, on ne peut demeurer soi. L'intolérance fanatique à la différence conduit à l'anéantissement de l'âme qui ose la marginalité. Aucune exception. Écologiste avant l'heure, le système récupère tout. Sinon, il détruit. C'est la loi de la jungle. Toi ou moi. *Shape in or ship out!*

Tu te conformes ou tu crèves! On nage en pleine mer de prohibition, la prohibition de l'unicité…

L'homme étant une bête grégaire, on comprend dès lors la pression à la fois écrasante et insidieuse exercée sur tout individu se promenant en bordure de l'autoroute. L'exclusion s'avère totale. Aucune marge possible autour de la feuille blanche. On insère le guide-âne afin d'aligner la pensée des uniques. Les uniques? Oui, Jeanne, Tra, Shirley, Viane, Nathalie, Jeannette et Julie. Les uniques? Pourquoi pas moi aussi? Et toi itou, cher lecteur.

La Parfaite obtempérera. Elle marchera droit. «Shirley savait tout. Alors que les bambins de son âge récitaient l'alphabet sur l'air de *Ah! Vous dirais-je, Maman* […] elle le chantait en usant de la mélodie de Brahms (op. 68) dans l'ordre ou le désordre.» Adulte, «Shirley était pourrie d'autres qualités. Sportive: elle savait nager à reculons. Taquine, elle adorait feindre l'orgasme.» Le besoin d'être aimé se dessine grand sur la toile de sa vie. Si seulement la Parfaite atteignait la perfection, peut-être qu'alors l'aimerait-on sans restriction? L'idée ne semble pas bête. Cependant, Shirley ne sait pas tout. Comprendra-t-elle, avant l'irrémédiable, que la perfection étouffe?

Puis, l'auteur nous présente Viane, la Moureuse. Comique? Sûrement pas. Pas plus que son *alter ego*, la tragique Dolorès Bougon.

Pas très rigolo tout cela, vous en conviendrez. *Les Bougon*[1], non plus. Pourtant, cette série remporta un succès foudroyant auprès du public québécois pour son humour décapant. Un gag n'attend pas l'autre. Dans *La Ffreuse*, par exemple, on compte pas moins de 75 calembours, contrepèteries, tautologies, dégueulasseries et autres multiples jeux de mots, illustrant le malin plaisir que procure l'écriture à son auteur. Gentil, ce professeur émérite de l'École nationale de l'humour définira en annexe une vingtaine de procédés. Une prime au jouisseur.

Cependant, détecte-t-on dans cette œuvre provocante et subversive certaines balourdises ? Bien sûr. N'oublions pas l'âge de l'auteur : 24 ans lors de l'écriture. Mais la précocité explique-t-elle, à elle seule, ces maladresses ? Exemple : les crochets assénés de bon cœur aux policiers, politiciens et autres prout-proutistes, proies privilégiées de nos humoristes. L'excuse serait facile. Il faudra creuser davantage. L'humour explosif, corrosif, féroce, incisif, irrévérencieux, mordant, révolté, tranchant, absurde, anticonformiste amuse.

Ce qui frappe le lecteur dès les premières lignes du récit est l'univers éclaté de l'auteur. Où va-t-il chercher toutes ces images ?

---

1. *Les Bougon, c'est aussi ça la vie*, série télévisée présentée à Radio-Canada qui maintint une cote d'écoute de près de deux millions de téléspectateurs.

Toutefois, trop, c'est comme pas assez. Chatouillée à l'excès, la rate abdique. Certaines énumérations se transforment en digressions nuisant à la fluidité du texte, comme le récit de la visite au zoo dans *La Moureuse*, rendant ainsi sa compréhension malaisée. Mais comment faire le tri sans assassiner une image irremplaçable, un excellent gag? La lecture de *Les Uniques* se voudra dès lors une invitation à la jouissance. Gâtez-vous! Prenez, cher lecteur, le temps de rire…

Le scribouillard enviera certes cette jouissance de dire. Mais au-delà de cet agrément, on perçoit chez Avard un déblocage, que dis-je? la libération d'émotions mêlées et refoulées (oserais-je le mot catharsis?) prenant forme grâce à l'écriture; cependant que le lecteur averti enviera le bien-être qu'aura assurément procuré, à l'écrivain, cette délivrance. Du coup, *Les Uniques* allume un sentiment d'espérance chez l'opprimé: le goût de dire l'indicible, le goût de s'affranchir de ses propres peurs, le moment d'accéder à sa propre liberté? Si Avard le fait, pourquoi pas moi?

Macho ou misogyne?

François Avard est-il machiste? Dans le recueil, les Jeanne, Jeannette, Tra, et autres uniques ne sont-elles pas d'adorables insignifiantes au service d'un mâle dominant. Toutes victimes d'abus, elles en redemandent jusqu'à l'ultime sacrifice, un récit suffisamment grossier pour faire vibrer la corde féministe de toutes les Yvette réunies dans un forum réactionnaire. Ou faire saliver les Axel Tilton de ce monde. La femme est-elle réduite à une image de «loser»?

Par contre, les Serge, Gilles, Normand et autres phallocrates qui les dominent ne s'avèrent pas plus éclairés que leurs victimes. S'ils s'enorgueillissent de leur crayon, leur mine demeure stérile. Ces machos odieux inspirent le mépris. Alors, à quoi rime l'entre-croisement de ces personnages? L'insignifiance règne. D'aucuns pourraient alors estimer Avard misogyne.

Or, ici, les rats aussi bien que les souris sont voués au même piège de la domination. Il faut repérer le caractère allégorique de *Les Uniques*. Le jugement porté par l'auteur ne vise ni la femme ni l'homme, mais bien la condition humaine effroyable (représentée par la femme) dans laquelle l'un comme l'autre sont maintenus par un système gourmand de toute liberté (représenté par l'homme); *La Clowne* en est le triste et éminent exemple. «Avec d'aussi jolis yeux, elle ignorait la laideur et le danger…» Dotée d'une imagination aussi débordante que débridée, Tra assume allégrement sa différence jusqu'au jour où elle rencontre Gilles. Séduit par la fantaisie d'une femme qui se permet de promener, dans la rue, un *chien-ballounes*; de consoler un enfant qui pleure en traînant chaque jour des quantités incroyables de suçons; de se mettre la tête dans la bouche d'un lion ou, encore pire, d'un hamster.

Or, le système n'admet pas la différence; la norme étant la fondation du régime absolu, fût-il enrobé de chocolat, de ketchup et de gras trans. « Après six semaines, Gilles en a déjà assez […] Ça doit changer. » Le régime récupère tout, sinon il le digère. Par amour pour l'autre, « Tra mettra du vinaigre dans son vin. » Un peu, beaucoup, beaucoup trop?

Qui blâmer? Le village ou les villageois? L'ensemble est composé de la somme de ses parties. Le village, de villageois intolérants. La Ffreuse l'apprendra à ses tristes dépens. Dans une scène de rue surréaliste, rappelant les habitants de Termolle[2], on lapidera Nathalie, ou Madeleine, afin que sa laideur offensante n'éclabousse point les braves gens. Une tirade digne du nez de Cyrano électrisera la foule, l'ironie d'Edmond Rostand en moins.

– C'est commode à l'Halloween, réfléchit un esprit pratique en feuilletant son agenda électronique […]

---

2. François Avard. *Le Dernier continent*, Montréal, Les Éditions des Intouchables, 1997. Troisième roman, réédité en 2005.

– On a dû l'échapper dans un baril d'acide hycéphadrénalitique ! osa un chimiste champion de mots croisés.

– À quand le droit de tuer ?

– Qu'on la jette dans la rivière...

– Alors passons-la au hachoir ! suggéra un sadique...

Nathalie survivra-t-elle aux mots qui, selon l'adage, ne tueraient pas ? On la soumettra assurément à des maux plus violents.

Le caractère surréaliste de la narration servira à grossir, au-delà de la caricature, les quêtes uniques de chaque personnage : la beauté, l'authenticité, la perfection, l'amour, le dépassement ; alors que l'absurde, en mariant l'humour à l'horreur, dénoncera l'anéantissement de toute unicité chez l'individu. Son corollaire : les concessions existentielles que feront Jeanne, Tra, Nathalie, Shirley, Viane et Jeannette pour le droit à la vie.

Et si les six personnages n'en formaient qu'un seul ? Et si l'auteur illustrait les sept caractéristiques d'une même femme en quête d'amour ? Cela semble beaucoup. Certes, une femme exceptionnelle !

La Pula

Novembre 1995. Mon fils Martin entre à la maison le cœur *écrapoutillé*. Vénus a rompu définitivement. Comment vivre sans elle ? À vingt-deux ans, l'épreuve est insurmontable. Le *père-professeur* de français lui suggère d'étaler son sentiment sur du papier parchemin. Qui sait…

Le lendemain, l'amoureux éconduit me présente sa lettre.

Chère déesse,

Aujourd'hui, tu n'es plus là.

Je tourne en rond dans mon trois et demie comme un vieux lion au zoo de Granby en hiver, écrasé vingt fois sur l'asphalte noir, sous nourri puisqu'aucune main d'enfant ne se glisse entre les barreaux. Sans toi, je suis un moineau mort, qu'aucun gamin ne ramassera pour enterrer derrière le garage. Je n'ai plus à mettre de sel et de vinaigre sur mes frites : je pleure dessus et les bouffe à la cuillère. Toutes les pubs disent ton nom. D'autres crachent le mien. Sans toi, mon cœur ne s'envole plus, il gonfle : ça m'empêche de respirer et toute l'humidité me sort par les yeux rouges.
Martin

— Hum ! fis-je, ton texte ressemble étrangement au préambule de *La Pula* !

— C'est pas grave, comme j'avais pas de papier spécial, j'ai pris du papier calque…

C'est ainsi que Martin reconquit sa belle. Chut ! Si jamais vous la croisez, ne lui révélez pas l'astuce. À ce jour, elle n'est pas au courant du plagiat.

Dans *La Pula*, septième et dernière nouvelle du recueil, le narrateur raconte sa déchéance suite à la rupture que lui impose Julie, sa bien-aimée. Le choc du comique et de la tristesse servi sur canapé de tendresse rappelle d'abord la facture réaliste de *L'Esprit de bottine*, puis celle de *Pour de vrai*, premier et quatrième romans de l'auteur. Étrange ! Le personnage principal des trois œuvres se prénomme François.

Julie est partie. François tentera la reconquête. Assaisonnera-t-il sa sauce à spaghetti avec suffisamment de conviction ? Nous le lui souhaitons. Sinon, les poings du pugiliste confondront Julie. À défaut de goûter la spécialité italienne, il vous restera, cher lecteur, la recette d'une sauce très personnelle à servir sur des pâtes molles.

Donquedonc…

Avard ouvre la voie à l'authenticité, à la liberté. Non pas à une libertoche vulgaire justifiant un égoïsme hédoniste, mais à l'indépendance d'un esprit affranchi de toutes servitudes. Utilisant l'absurde, il dénoncera César et ses Romains, experts dans l'abrutissement des êtres les plus admirables.

Lire *Les Uniques* ? Pour le plaisir de rire, pour le bonheur de vivre.

Décembre 1994. Le stagiaire termine son rapport. Sa démence et sa folie auront séduit mes élèves. Il leur manquera. Jamais, de leur carrière d'étudiant, n'auront-ils rencontré un professeur aussi unique.

Bonne lecture !

Antonio Di Lalla
Professeur de français
École nationale de l'humour

À mon Renaud.
Méfie-toi des puces…

LA SVELTE

(Toujours plus jolie elle devenait.

Au point d'exploser de beauté...)

I

Jeanne Bourbillon s'attife. Elle veut plaire. Pas facile pour une demoiselle qui ne jouit plus que d'un seul sens, le gros bon, celui dont on ne se sert jamais au bon moment. Sans odorat, elle apprécie les fleurs artificielles et ignore le relent de naphta qui la précède et la poursuit, mais qui fait d'elle une jeune femme plus incendiaire. Sans goût, elle n'avale plus rien sinon les bobards et les spermatozoïdes déterminés de garçons généreux. Sans vue, ses lunettes ne servent à rien, mais produisent tout de même des bobos qu'on veut becquer sur son nez inutile. Sans ouïe, la musique barbare des bars barbants ne l'incommode pas, mais elle ignorera qu'il est grandement temps de demander miséricorde lorsque les sept trompettistes de Dieu entonneront le blues de l'Apocalypse. Sans toucher, les mauvais danseurs l'invitent à danser sans craindre d'être réprimandés et elle peut faire de bonnes farces à ses copains en brassant le charbon ardent d'une locomotive à main nue. Sans blague, elle est plutôt mignonne malgré tout.

Lorsqu'elle porte des pantoufles de la même couleur que ses cheveux jaunes, elle ressemble à un cul-tip et collerait sur les murs si on la lançait fort. Très svelte, elle doit attendre longtemps avant d'entrer au supermarché – où elle se rend rarement – par les portes automatiques. Elle perd également un temps fou à tenter de se voir dans un miroir : elle devrait accepter sa cécité, handicap qui lui épargne les inconvénients humides inhérents à la lecture sous la douche. Par bonheur, ses vingt-deux kilos lui permettent d'économiser l'eau chaude et sa serviette de bain fait six tours autour de son squelette, ce qui lui évite de se retrouver dans de fâcheuses situations lorsqu'on sonne à sa porte pour la voir nue sous une serviette qui se dérobe. Peu de gens, jusqu'ici, ont eu la chance de la déranger pendant qu'elle est sous la douche puisqu'elle a à peine le temps d'avoir de l'eau chaude qu'aussitôt sa toilette est terminée. De mauvaises langues prétendent qu'elle a cessé de raser son pubis pour être plus lourde et les faire paraître maladroites. Jusqu'aux genoux, ces poils pubiens lui donnent une allure animale qui plaît aux hommes bêtes.

Dans un rutilant deux et demie beaucoup trop vaste pour ses vingt et un kilos, – elle maigrit à vue d'œil, ses poils et cheveux ne poussant pas assez rapidement pour lui permettre de garder un poids stable – Jeanne cogite avec une horde de coquerelles qui sert à donner l'impression au voisin du dessous que ça bouge parfois au-dessus. C'est bien pratique, les coquerelles ; ça fait croire qu'on a une vie sociale bien remplie et, double avantage, ces invitées ramassent leurs miettes avant de déguerpir.

Lorsqu'elle fait semblant de jouir avec un partenaire fortuné ou avec sa main droite gauche[1], elle hurle pour exciter les habitants du quartier et attirer à sa fenêtre les enfants curieux des doux moments de la vie. À ces cris, certains croient à une rage de dents, d'autres optent pour l'accouchement par césarienne sans anesthésie et quelques-uns misent sur le couteau qui fouille dans le grille-pain non débranché pour en sortir un muffin anglais taillé en deux parts inégales, la plus grosse étant immanquablement celle qui coince, ne provoquant ainsi aucune surprise chez l'électrifiable adepte de muffins anglais noyés dans le beurre d'arachide.

Le ménage est fait. Tout est à l'ordre. C'est bref ramasser les sous-vêtements égarés sous les canapés d'une femme de vingt kilos. Le chat Chatou est sorti voir des chattes, passer la

---

1. (cf. Annexe p. 245 pour tous les renvois.)

nuit à chanter des psaumes abyssins – aria composée de cris persans – dans les rues, car il n'y a aucune ruelle tout près. Pour en trouver une, il aurait à emprunter un autobus et ne connaît aucun conducteur prêteur d'autobus. Sorti pour la nuit, ce damné félin aux griffes rétractiles coincées en position d'attaque ne dérangera pas au petit matin l'homme qui passera la nuit à détresser les cheveux pubiens de Jeanne pour atteindre l'orgasme et la chlamydia. Ainsi, l'homme endormi dans le grand lit ne se réveillera pas avant Jeanne, et elle pourra lui préparer un bon œuf micro-ondes avec du bacon épicé aux fragments d'essuie-tout. À peine éveillé, il devra lui faire la conversation, endurer son album de photos, apprendre le nom de tous les membres de sa famille et de tous ses anciens chats, lui mentir qu'il trouve son appartement très joli et applaudir les pitreries des coquerelles dynamiques et cirquables du soleil. L'homme aura eu l'impression d'avoir baisé un deux par trois, mais les échardes seront rouge vif. Vifs comme des rhumatismes gonococcinaux. Jeanne n'accumule pas tous ces microbes par coquetterie, mais par relations interpersonnelles, qu'elle multiplie sans compter.

Jeanne pense à autre chose qu'à la fois où elle a dû coucher avec son père pour avoir une bicyclette rouge et des échantillons d'un frère ou d'une sœur. Elle chante en même temps que Dean Martin la chanson *Houston* et essaye de se souvenir de cacher ce microsillon, avant de partir, sous la pile de U2 qu'elle possède pour plaire et faire comme tout le monde, car elle est sourde. Elle danse le baladi devant sa fenêtre qu'elle prend pour un miroir, car elle n'y voit rien. Un œil voisin l'aperçoit et se referme : ce n'est pas bien de regarder chez les sveltes nues, mais c'est permis chez les grasses qui le font exprès. Elle termine de se préparer en confondant la bombe de peinture rouge et la bombe d'antisudorifique. Ses prochains graffitis sentiront meilleur que ses aisselles, mais ils seront moins jolis.

Elle met trop de temps à se pomponner. Un homme normal aurait perdu patience depuis longtemps. À dix-neuf kilos, on économise sur le fard à paupières, mais c'est plus délicat de se grimer. Elle devrait être horlogère suisse : ainsi, elle boufferait les trous du fromage pour garder sa ligne et passerait ses vacances chez elle puisque c'est si joli la Suisse.

Avant de passer son soutien-gorge, elle peigne délicatement ses cinq poils de seins qu'elle se refuse de couper pour rigoler : l'homme qui bouffera ses mignouches aura la désagréable sensation d'avaler une soupe de cheveux. Et ces cinq poils lui valent un dix-huit kilos. Au microscope, la dentelle de son soutien-gorge ressemble à un flocon de neige. Elle se juge jolie avec son ensemble vert fluo qu'elle revêt par prudence, n'a pas tort de porter un tel jugement sur sa personne et part à la chasse.

II

Avant de quitter l'immeuble, elle fouille sa boîte aux lettres. Elle espère y découvrir une missive amoureuse d'un riche docteur italien, une carte postale du Khardpostan ou un échantillon du parfum *Anorexie n° 4*. Jeanne et ses dix-sept kilos se contentent d'échantillons. Ça leur suffit.

Chance! Il y a un échantillon : de la langue de bœuf! Sur l'emballage, un slogan-choc la met en appétit : « De la langue de bœuf au déjeuner? Pourquoi pas? » Jeanne en goûtera avec ses Rices Crispises et donnera les restes au chat Chaton, un chat au statut normal, c'est-à-dire qu'il n'a pas de nom définitif.

À l'extérieur, le vent frôle Jeanne, mais ne la décoiffe pas. Deux dollars et quatre-vingt-quinze de fixatif donnent à ses cheveux jaunes des allures de casque d'entrepreneur en construction. C'est bizarre pour une femme qui ne peut frapper du marteau sans perdre l'équilibre, scier une planchette sans se démantibuler une épaule ou roter un sandwich jambon fromage d'une cantine mobile. Au moins, elle peut marcher sur du ciment frais, mais personne ne l'engagerait pour cela puisque des entreprises sont mandatées pour fabriquer des affiches signalant le ciment frais et qu'il serait vachement saugrenu que l'on commence à permettre à n'importe quelle Jeanne Bourbillon de danser sur du ciment frais[2] : ça donnerait le mauvais exemple aux enfants, lesquels hésitent moins à suivre l'exemple mauvais que le bon. (De toute façon, c'est heureux ainsi : on peut donner des mornifles aux mioches pour ensuite leur dire qu'on les frappe vigoureusement par amour. Ce qui convainc généralement les enfants.)

Elle monte dans sa voiture avec une échelle. À seize kilos, les pneus ne s'usent pas et la suspension ne suspentionne pas. Si les oreilles de Jeanne servaient à autre chose qu'à soutenir des lunettes superflues, elle entendrait sa radio plus fort qu'un être normalement constitué puisqu'elle est si menue. Trop petite à quinze kilos, elle ne peut atteindre la cinquième vitesse. C'est de toute façon heureux, car la tenue de route y perdrait et la voiture de Jeanne risquerait de s'envoler, ennuyant ainsi les préposés aux guérites de péage qui auraient besoin d'un brevet de pilote pour collecter un gros trente sous à cette usagère de la route aérienne, alors qu'en situation normale une septième année leur permet d'exercer ce boulot. Jeanne boucle sa ceinture pour sa sécurité, mais le voyant très lumineux continue de lui exiger de le faire. C'est un voyant prudent.

(Faisons comme si Jeanne voyait un tout petit peu. J'accepte de lui accorder un haut degré de presbytie, ce qui lui donne quelques grammes de plus. Mais si elle continuait d'être aussi aveugle qu'au début de cette histoire, elle devrait téléphoner un taxi, ne le verrait pas arriver, n'entendrait pas son klaxon, s'impatienterait, rappellerait la compagnie de taxi, re ne verrait pas arriver le taxi, re n'entendrait pas le klaxon, re s'impatienterait, porterait plainte à la Commission d'Éthique des Culs sur Banquettes en Boules de Bois Jaseurs de Météo, perdrait sa cause et se lancerait en affaires en confectionnant des housses de siège de taxi en boules chinoises, ce qui changerait la conversation de ces robots lents et onéreux, mais alourdirait considérablement cette histoire.)

Jeanne voit donc mal, mais nous sommes plusieurs à croire que l'on conduit mieux lorsque notre vue est embrouillée. À la première intersection, elle vous croise, mais vous l'ignorez. Vous l'échappez belle, une fois de plus. Elle continue son chemin, car elle ne peut atteindre le frein. Elle arrive ainsi plus vite au bar De La Mort. Elle gare sa voiture compacte dans une autre, se dégage par le toit ouvrant, et saute dans une flaque d'eau et d'antigel qui lui donne un kilo de plus pour quelques instants. Environ deux ou trois.

III

Au De La Mort, on sert de la bière chère, froide ou tablette, mais il y reste rarement de la froide ou de la tablette en stock : elles s'épuisent trop vite. Il y a des fluorescents mauves qui bleuissent les furoncles des adolescents. Ainsi, le propriétaire les distingue sans avoir l'odieux de leur demander de présenter leurs fausses cartes. Susceptibles, les tenanciers de débits de boissons détestent que des enfants se moquent d'eux en présentant les cartes d'identité de leurs frères ou sœurs plus âgés. Parfois, certains jeunes commettent l'impair de présenter la carte d'identité d'un frère cadet. Alors la force policière emprisonne le bébé qui permet qu'on usurpe son identité et la société est ravie qu'on fasse enfin respecter la loi.

Jeanne laisse son manteau au vestiaire, mais elle débourse le même prix que tous les autres usagers parce qu'on n'est tout de même pas pour commencer à louer les cintres au poids.

Jeanne se rend d'abord au petit coin – elle s'y sent bien – se refabriquer une beauté. Au miroir voisin, une autre fille, moche celle-là, car affublée de quarante kilos de chairs réparties sur tout le corps et de longs cheveux blonds, tente vainement de ressembler à une humaine.

– Maudine que t'es belle ! dit la grosse de quarante et un kilos.

– Merci, dit Jeanne qui parvient à lire sur les grandes lèvres supérieures de l'obèse.

– Quel régime suis-tu?

– J'essaie de manger équilibré, je surveille ma régularité et je n'attrape que les maladies utiles à me garder svelte.

La torche ne remarque pas les aisselles rouges de Jeanne, mais son odorat de gourmande ne la trompe pas:

– C'est de la langue de bœuf qu'il y a dans ta sacoche? J'en prendrais bien un morceau.

– C'est meilleur au déjeuner prétend la publicité, mais je veux bien t'en offrir, dit Jeanne.

La vache enceinte mord dans la langue du bœuf et part à la course se procurer une bière chère et du fromage vert. Jeanne termine de se maquignonner, quitte la salle de toilette et rejoint la foule ivre et sautillante. C'est facile faire sautiller quatorze kilos: on n'a qu'à attendre qu'une obèse de quarante-deux kilos retombe et l'on rebondit aussitôt.

Le serveur remarque Jeanne et s'en approche:

– Bkerc cwu i8bre bkcauj?

– Pardon? dit Jeanne qui ne réussit pas à lire sur les lèvres du serveur, un animateur de radio FM qui arrondit ses fins de mois carrées en travaillant au De La Mort.

– Que désirez-vous? répète-t-il plus clairement.

– Une bière, répond Jeanne.

– Une bière chère, une! hurle le serveur en s'éloignant vers le bar.

Il rapplique vite. Le pourboire est conséquent. Les émanations de la bière engourdissent les treize kilos de Jeanne. Ce soir, elle la boira au complet. Ça la dégênera et rendra ses jambes plus malléables.

Sur une boîte de son, dansant le Va-comme-je-te-pousse, Jeanne aperçoit une proie. Il est beau, quoiqu'un peu balloune dans ses cinquante-deux kilos. Elle le fixe. Il l'aperçoit, fait son smatte un moment en l'ignorant, puis va vers elle. Elle le voit de moins en moins, presbytie oblige. Arrivé près d'elle, l'homme la dévisage. Jeanne ne voit plus qu'un indescriptible charabia qui se vendrait très cher peint sur une toile.

L'homme se présente:

– Voulez-vous faire l'amour, mignonne jeune fille?

– D'accord... Je peux finir ma bière? demande Jeanne.

– Oui, mais faites vite.

Elle boit rapidement, éructe et perd du coup deux kilos. La voilà à onze kilos, un poids qui fait plusieurs envieuses. Dans le bar, toutes les filles la dévisagent de loin, croyant que Jeanne ne peut les voir. Avant de quitter le De La Mort, elle va uriner deux autres kilos. La voilà à neuf. Chic! pense-t-elle.

– Vous avez si peu de peau, madame, que ma langue n'en oubliera aucune parcelle ! dit l'homme.

Joli baratin. Rien d'étonnant car l'homme, c'est Serge Barge. Un richissime voleur d'acheteurs de bagnoles. Il a un chalet dans le nord magnétique et adore pêcher la mouche noire et la caisse de bière. Il aime les balades en voiture le dimanche parce que c'est moins chiant que la marche et plus rapide pour parvenir au lundi. Il adore recevoir des rasoirs électriques pour Noël et refuserait de passer ses vacances dans un camp de nudistes car il ne pourrait y faire découvrir sa garde-robe. Il regarde souvent sa montre bien plus pour la montrer que pour apprendre à lire l'heure.

– Je vous confie ma peau et mes os, dit Jeanne.

– On prend ma voiture, mais on ira chez vous.

– Parfait compromis, juge Jeanne.

Serge peste contre l'abrutie qui a embouti sa voiture de l'année de cette année[3], Jeanne se tait et tous deux filent sur Parfait Amour, une avenue parsemée d'égouts imprévisibles.

– Je brûle de désir pour vous, glouglloute l'homme.

– Soyez prudent. On dit de moi que je sens le naphta.

– J'exploserai en vous !

– N'éclaboussez pas sur mon tapis, prévient Jeanne.

– Quand arriverons-nous donc chez vous? s'impatiente Serge.

– Aussitôt que vous suivrez mes indications... Tournez ici, là, encore à droite, tout droit, reculez, virez ici, encore un peu, moins vite, à gauche sur la prochaine, freinez sec, repartez, roulez doucement, accélérez, vite à droite, encore à droite, faites crier vos gros pneus virils, toujours à droite, nous revoilà au même endroit, cocasse, non? À gauche, l'autre gauche, lentement, feignez une panne, allumez le plafonnier, roulez droit, frappez vous la tête contre le volant, freinez... freinez! ATTENTION!

– Que fait donc ce damné chat dans la rue? s'interroge Serge.

– Il gicle!

– Vous, avez-vous un chat? demande Serge, en dissimulant l'espoir qu'il nourrit secrètement.

– J'avais, sanglote Jeanne, perdant ainsi, en plus du chat Rouminet, un autre kilo.

– Avez-vous des albums de photos? angoisse-t-il.

– Bien sûr. Nous les regarderons demain, à votre lever.

– Les magasins de chats sont-ils tous fermés à cette heure?

Jeanne ne répond pas, mais sèche ses larmes, et la voilà maintenant à sept kilos. Elle n'indique plus le chemin à Serge. C'est plus rigolo de le lui faire deviner et ça allonge les préliminaires.

Serge a un mal fou à trouver l'endroit où habite Jeanne, et sa voiture tombe en panne sèche. Ils font les derniers kilomètres à pied. Cet exercice permet à Jeanne de perdre deux mille autres grammes. Elle est plutôt coquette à cinq kilos.

V

— Entre, dit Jeanne.

— Vous auriez pu m'indiquer la route à suivre lorsque nous nous sommes retrouvés à pied ! s'insurge Serge.

— Allons, allons ! Un peu de marche à pied n'a jamais tué personne.

— Pourtant, rétorque Serge, on dit que l'avion est le moyen de transport le plus sécuritaire !

— La prochaine fois, dans ce cas, nous prendrons le même chemin, mais en avion. Ce sera marrant de reculer.

Serge ôte son manteau, et Jeanne, qui a oublié le sien au vestiaire du De La Mort, retire son ensemble vert fluo par distraction. Elle retire ensuite sa serviette hygiénique et constate un autre kilo en moins.

— Ça vous plairait de prendre une douche avec moi ? propose Serge.

— D'accord. Au fait, quel est votre prénom ?

– Serge, répond-t-il.

Les voilà tous les deux sous la douche. Lorsque l'eau chaude arrive enfin à eux, le sexe de Serge peut enfin rendre justice à son baratin, mais Jeanne est déjà propre et, bien essuyée, parvenue à trois kilos. Serge fait sa toilette avec soin : il lave ses pieds, ses parties intimes de devant, de derrière, ses aisselles puis son visage.

Serge a un bel engin, genre huit cylindres deux barils au plancher, et Jeanne, dans l'excitation, perd un autre kilo. Nus comme des canards, ils entreprennent une course folle dans le deux et demie, imitant ainsi les coquerelles, mais étant beaucoup moins habiles qu'elles à se déplacer dans le noir. De toute façon, même douze fluorescents industriels ne suffiraient pas à Jeanne : son genou frappe le coin de la table à pieds du salon. Elle saigne abondamment et perd un autre kilo. La course cesse, car Serge a profité de l'indisposition de Jeanne pour la pénétrer et la faire engraisser de quelques milligrammes avant la fin finale pour finfinaux.

Aussi rapide à la baise qu'à la course à pied, Serge est satisfait de son score, mais la fureur et la frustration de Jeanne lui font perdre son dernier kilo.

La Clowne

(Avec d'aussi jolis yeux,
elle ignorait la laideur et le danger…)

I

Gilles est allé au marché, *his little basket
under his arm*, la première fille qu'il a ren-
contrée *wasn't the daughter of a lawyer. It was*
Tra Lalalère. Une clowne. Déguisée en crieuse
de prix de pommes bien ordinaire, on ne pouvait deviner que Tra dissimulait un si grand
secret. Gilles tâta les pommes et Tra en profita
chaque fois pour émettre quelques pouet!
pouet! discrets. Lorsqu'il paya ses huit dollars
pour deux jolies pommes de reinette et une
autre d'api, tapis tapis rouge, tapis tapis gris
(ces trois pommes étant les seules qu'il n'avait
pas tripotées), Tra lui répondit simplement:

— Voilà vos pommes. Pouet, pouet! Ya-ya
youyou!

Elle lui tendit ensuite un magnifique tapir
fait avec des ballounes. Ça changeait du traditionnel caniche et suffisait à Gilles pour tomber
éperdument amoureux d'elle. Entre un air de

bœuf ou une bette de singe, le choix n'a rien de sorcier. L'humain est si semblable au primate.

Pour votre bon plaisir, la suite allait être bien moins rigolote. Tra est clowne. Une vraie vraie clowne. Fille d'un clown russe parce que c'est cliché et ainsi plus crédible qu'un clown chinois (qu'on imaginerait mal avec de grands pieds) ou amérindien (qui n'aurait guère d'effet comique avec un nez rouge). Sa mère n'était que de neuf ans son aînée puisque son père, Crakpov, n'avait que des enfants dans son entourage et que les animaux en ballons qu'il confectionnait avec art ne l'attiraient pas sexuellement. Un jour de mai, où il avait oublié une balloune anglaise, Crakpov fut si convaincant, dans sa démonstration d'ombres chinoises où il mimait une abeille, que la jeune Mhahrhoush-kahskayahyha tomba enceinte. Tra, fœtus de quelques grammes, manipulait déjà le cordon ombilical pour en faire un lasso avec lequel elle attrapait son placenta.

Ce pourrait être une belle histoire si celle-ci ne s'était pas déroulée en Sibérie, là où on n'en finit plus d'élever le cryostat, quitte à payer de plus gros comptes d'électricité. Les Soviétiques qui s'y acclimatent le mieux sont ceux qui peuvent retirer leur dentier pour ne pas claquer des dents. Sachant que les clowns viennent de Sibérie, on ne s'étonne plus de leur nez rouge. Les gens de Sibérie, cette partie septentrionale de l'Asie explorée en tout premier lieu par un

Mongol atteint du Parkinson qui trouva là-bas un endroit où il pouvait enfin avaler sa soupe sans ruiner ses vêtements puisqu'il grelottait entre deux tremblements, les Sibériens, n'étaient pas tous clowns ou soviétiques : il y avait aussi plusieurs étrangers. Les clowns sibériens leur changeaient les idées subversives. Aujourd'hui, la Sibérie n'est plus le berceau des meilleurs clowns du monde : l'Amérique en produit d'excellents qu'on peut apprécier chaque soir au téléjournal. Loin de celle du clown classique, leur physionomie est néanmoins souvent tout aussi hilarante. La drôlerie de ces clowns contemporains réside davantage dans leurs propos, qui laissent transparaître une grande influence du mouvement contre-clownesque[*].

Tra accosta ici, âgée de seulement sept ans, après une guerre froide qui passa inaperçue en Sibérie. Même beaucoup plus tard, lorsqu'on fit tomber le mur de Berlin, le courant d'air escompté ne se rendit jamais jusque-là.

Notre mode de vie nord-américain la changeait de son pays natal car ici, à l'époque, on ne cultivait pas les radiations et ne faisait pas fondre les calorifères pour en faire une bombe pour chaque habitant des États voisins. On faisait plutôt fondre les marges de manœuvre des gouvernements, ce qui n'impliquait absolument

---

[*]Au lieu de se laisser piler sur le pied pour ensuite hurler Ouille ! Ouille ! À la grande joie de tous, ces clowns préfèrent taxer les chaussures.

rien et plaisait aux contribuables de l'époque qui voulaient donner une raison de se suicider à la génération suivante.

C'est par conteneur, comme Moïse dans son panier, qu'elle arriva à Montréal, puisqu'un *planning* familial rétroactif la déclarait superfétatoire en Union soviétique :

– Camarade Nhishkhahyahhhashahsomovhhyah Pov, fille de Crakpov Pov...

– C'est bien moi, camarade. Mais vous pouvez m'appeler Nhishkhahyahhh, répondit l'enfant au fonctionnaire soviétique. Qu'y a-t-il ?

– En Union soviétique, on compte plus de trente-deux Nhishkhahyahhhashahsomovhhyah Pov. C'est beaucoup plus qu'il n'en faut. Vous devez disparaître ou ajouter un *v* à votre prénom.

– Et combien y a-t-il de Vnhishkhahyahhhashahsomovhhyah Pov, camarade ? s'informa la gamine.

– Quarante-quatre !

– Alors tout sera à recommencer ! constata-t-elle.

– Vous serez peut-être plus chanceuse au tirage au sort qui détermine les camarades en trop. Qui sait ?

– Je préfère garder mon prénom tel qu'il est et disparaître. Mes salutations à mes trente et une camarades homonymes.

Son papa est resté là-bas pour cultiver la neige parce que Brècheneuve ne portait pas son nom. Orpheline dans un nouveau territoire, elle fut ramassée par Roger Lalalère, un débardeur beige qui opta pour Tra, un prénom joli et moins complexe à prononcer que Nhishkhahyahhhashahsomovhyah. On ne sait rien de ce que devint la maman de Tra. Elle devait être trop attachée à son job de mineure, carabinière ou pompière, bref un emploi qui misait sur la fin des différences entre hommes et femmes. Il est gratifiant pour une femme communiste d'être vidangeuse ou bourreaue.

Tra a dû apprendre à se maquiller très jeune, car, à sept ans, aller à l'école primaire avec un nez rouge, une couronne de cheveux orange cernant une calvitie blanche, une bouche accentuée par des rougeurs et deux grands pieds, ce n'est guère évident pour de jeunes écoliers qui n'hésitent jamais à se moquer de qui que ce soit, même des clownes, de leurs professeurs ou de leurs propres parents.

Toutefois, elle jouissait d'une très grande popularité lors des anniversaires de ses compagnons et compagnes. Elle était fantastique pour confectionner des chameaux ou des dromadaires avec des ballons, talent héréditaire qu'elle tenait de son père. Elle confondait les chameaux et les dromadaires, mais personne ne lui en tenait rigueur, car personne n'a de véritables idées de quoi est quoi, sauf les préposés de jardins zoologiques qui les reconnaissent en comptant sur leurs dix doigts, sept s'ils s'occupent également et depuis peu des lions[4]. Elle terminait toujours son numéro par les ballons de l'horreur, numéro qui consistait en la réalisation de figures des politiciens de l'époque, mais en ayant pris soin précédemment de faire vomir les enfants dans chacun des ballons. C'est simple de faire vomir un enfant : de la raisinette au litre et du gâteau avec du crémage bleu et jaune. Tout se terminait dans la joie des jeunes amis, car il s'agissait de lancer les faces de cons pleines de vomissure du haut d'une galerie sur des passants. Tra espérait ainsi convaincre les gens de cesser de voter pour eux, mais son numéro échouait quand la fête avait lieu dans un demi-sous-sol.

L'adolescence de Tra fut ardue. On ne drague pas un jeune homme en lui faisant des animaux en ballons ou en mimant une valse avec des caniches. Pourtant, elle ne ménageait aucun effort sur le maquillage. Elle arrivait à ressembler à une employée de Mecronald. Aucun garçon ne tolérait ses grands pieds lorsque Endlaisselove envoûtait tous les cœurs. Chausser des cinquante-huit à quatorze ans blesse plus d'un bas.

Le plus bouleversant de cette période tragique qu'est l'adolescence fut la mort de son père adoptif, Roger Lalalère. En déchargeant un cargo de guanos, il tomba sur un guérillero papayen impatient de faire voir à quel point son arme, produit soviétique, fonctionnait à merveille. L'arme s'enreya, mais uniquement après qu'un pruneau a eu pénétré hardiment l'aorte la plus importante de Roger. Tout de même, les forces géercées purent saisir délicatement l'assassin et lui remettre son premier chèque de mieux-être en attendant qu'il se lance dans la restauration. Domaine étonnant pour un destructeur.

Après le service funéraire de Roger, le corbillard démarra si vite que les pneus crissèrent. Tous purent alors dire sans mentir que Roger était parti bien vite. En plus, le corbillard toucha la bande, kissa une boule et s'empocha, et Roger put mourir à nouveau, de gêne cette fois. Tra n'assista pas au dernier salut en église. On craignait qu'elle distraie la foule. Elle pleura seule à la maison. La clowne était triste.

Aujourd'hui, tenancière d'un kiosque de pommes miniatures ou géantes où elle invite les gens à tomber, car c'est moins salissant que les fraises ou les gnougnouches et beaucoup plus de saison en fin d'été, Tra mène une double vie bien pénible. L'apparition de Gilles, un homme sain à l'existence banale et routinière, allait donner un peu de stabilité à son existence.

II

Lorsqu'on a l'habitude de femmes honnêtes, bonnes, douces, attentionnées, flippantes et intelligentes, partager sa soupe avec une clowne désarçonne quelque peu. Le quotidien d'une clowne, c'est adorer péter avec la bouche, foutre des chaudières d'eau au-dessus des portes d'ascenseur, mettre des sacs-à-pet un peu partout dans la maison, faire péter des ballounes, avoir des rideaux à carreaux rouges, verts et bleus dans ses fenêtres, avaler des pets, faire des bye-bye avec la main à des étrangers qu'on ne connaît pas, faire brûler des pets, parler en bégayant certains jours parce que c'est marrant, péter au téléphone, être suivie par soixante-douze enfants au Steinbeurk où l'on se rend acheter des fèves et du chou, remplacer l'eau par du vinaigre et vice-versa parce que ça brosse mieux les dents avec la grande brosse d'un pied et demi et que les frites ont un goût plus drôle, péter sous les draps et s'y endormir en jouant à la tente à oxygène, promener un chien en ballounes, faire la vaisselle imaginaire, traîner un imposant dispositif pyrotechnique pour faire péter des pétards ou des obus afin de faire peur aux enfants, avoir une bagnole qui se démantibule, circuler sous les échelles pour recevoir des seaux de peinture sur la tête, se dévisser le nombril et laisser traîner ses fesses un peu partout dans la maison, cogner son gros orteil contre la patte du lit et crier Ouille! Ouille!, mettre son doigt dans son oreille et le faire sortir par le rectum, consoler un enfant qui pleure en traînant chaque jour des quantités incroyables de suçons, faire les yeux croches en évitant les courants d'air, avoir les joues de Louis Samstroung pour gonfler toutes ces satanées ballounes, jongler avec de faux couteaux qu'un autre clown remplacera par de vrais sabres puis parler en bégayant en composant le 911 parce que c'est plus marrant, se mettre la tête dans la bouche d'un lion ou pire d'un hamster si on ne dispose pas d'un lion à la maison, rire tout le temps, faire disparaître son pouce puis sa main dans son nez et attraper des pets au lasso.

Pour plaire à une clowne, il faut lui envoyer des fleurs qui pissent de l'eau, lui préparer des gigots d'agneaux à partir d'agneaux en ballounes, subir toutes ces chaudières, même celles en métal, très dures et très lourdes, caresser amoureusement les seins de sa clowne et entendre des pouet! pouet!, accepter qu'elle fasse mine de se tromper et qu'elle souffle dans votre sexe pour tenter d'en faire un caniche, que sa fleur du mal vous pisse de l'eau au visage ou parfois pire, du vinaigre les jours joyeux et surtout accepter que chaque fois qu'on pète, notre conjointe clowne prétende voir ce gaz filer et le pourchasse avec un lasso imaginaire dans le salon funéraire où l'on expose votre mère.

Bref, ce n'est pas régulier et très harassant à la fin.

Après peu, il n'y a plus de surprises lorsqu'une clowne arrive à la maison avec un bouquet de ballons transformé ensuite en une meute de chiens et ça pue chaque jour.

Gilles ne s'attendait pas à un tel choc. Il emménagea chez Tra : une maison rouge, jaune et bleue bordée d'une superbe pelouse pleine de Flamands belges en plastique, de ravissantes marguerites tout aussi toc et de plusieurs pneus de moissonneuses-batteuses peints aux couleurs des drapeaux italiens, français, et japonais. Aucun aux couleurs du Canada : une clowne n'est pas nécessairement sotte. Près de la porte du côté, il y avait une laisse à laquelle Tra attachait parfois un gros chien en ballounes noires pour ensuite marcher dans sa cour en faisant semblant d'éviter des crottes imaginaires sur lesquelles se posait inévitablement le pied du facteur lorsqu'il fuyait le molosse en courant à l'aveuglette. Elle arrosait ses plantes en plastique avec du versol, trouvant ainsi une utilité écologique à ce solvant. Dans son jardin, elle ne faisait pousser que des légumes géants ou miniatures aux couleurs inhabituelles. Les voisins s'en trouvaient fort surpris, eux-mêmes ne parvenant pas à récolter la moindre carotte puisque le versol se répandait jusque dans leur sol et qu'il s'agit d'une lapalissade puisque c'est évidemment la direction que prend le versol.

L'intérieur de la maison était tout aussi clownesque avec ses miroirs déformants, embêtants pour le rasage puisqu'on risquait de se crever un œil, ou les deux si l'on est vraiment malchanceux, ses robinets de vinaigre, et ses meubles géants pour que Tra s'amuse à être naine.

Après six semaines, Gilles en avait déjà assez. Il s'alluma une cigarette : un pétard que Tra y avait dissimulé le dévisagea une nouvelle fois. Plus besoin d'électrolyse pour perdre ses cils et sourcils. Aussi, Tra préparait une reproduction en ballounes du plafond de la chapelle Sisteen. Ce serait très joli, mais Gilles craignait de laisser les quelques cheveux qu'il possédait encore en tentant de faire tenir tout ça au plafond du salon.

Ça devait changer.

III

Tra mit un peu de vinaigre dans son vin. Elle n'invita plus ses amis Tarte-À-La-Crème et Gant-De-Boxe-À-Sprigne à la maison. Lors de sorties avec les amis ou collègues de Gilles, elle mettait un temps fou à se maquiller pour faire disparaître sa calvitie, ses cheveux orange, se peinturait de fard au rouleau pour faire disparaître son nez rouge, sa peau blanche, ses sourcils rouges et sa bouche deux couleurs.

Gilles lui avait offert des vêtements plus réguliers et Tra poussa le sacrifice jusqu'à porter
des sept dans ses pieds, les cinquante et un
restant la faisant atrocement souffrir.

Une de ces sorties, en réalité la dernière,
fut catastrophique. Gilles devait rencontrer un
important client. Gilles est exportateur d'ivoire
de piano, et un riche roi africain désirait
conclure une bonne affaire afin de redoter ses
éléphants de défenses. Gilles avait un boulot
controversé. En effet, une association pour la
défense des notes blanches de piano le menaçait
chaque jour de représailles contre lui, du genre
crier des noms ou kidnapper sa radio d'auto. Il
ne s'en inquiétait guère puisqu'il avait l'appui
de l'Association de défense des notes noires,
de bien meilleurs pianistes au vocabulaire plus
large. Depuis longtemps, on connaissait le
débat concernant la discrimination des notes
noires à l'avantage des blanches[5].

Le roi Agado de la république Debanan
déplorait le manque de touristes depuis que
ses éléphants n'avaient plus leurs parures. La
plupart des voyageurs choisissaient dorénavant
le pôle Nord pour voir des morses et commu-
niquer avec eux, et l'économie du Debanan
s'en ressentait. La guerre civile menaçait la
famine et le Debanan. Le roi voyait son trône
chanceler sous le poids des pressions popu-
laires et le sien. Il avait grand besoin de l'ivoire
de piano de Gilles et celui-ci avait grand

besoin de quelques mines d'or, de cuivre et de crayons pour s'assurer une retraite dorée. Leur rencontre était primordiale. Gilles avait choisi un restaurant africain du nord de la ville où l'on servait d'appétissantes assiettes de vide, où l'ambiance rappelait la grande culture du pied d'athlète et où l'odeur soulignait les difficultés en eau courante courant dans ces contrées éloignées du pognon.

Gilles et Tra arrivèrent les premiers au chic Restaurant. Il rappela à sa clowne d'agir normalement. Tra promit trois fois sans crainte qu'un coq ne chante puisque dans un restaurant comme celui-là, on ne trouvait pas la moindre chair. Sous la table, Tra obtint au moins de pouvoir retirer ses souliers afin de faire respirer ses os. Le roi ne pourrait la voir puisque la nappe descendait jusqu'au sous-sol.

Dès la première occasion, Tra révéla sa personnalité clownesque : le serveur s'approcha d'eux et leur demanda s'ils désiraient un apéritif avant l'arrivée du roi.

– Oui. Trois bières, SVP, dit Gilles.

– Et madame ?

– Quelque chose de bleu parce que c'est plus marrant à boire, SVP.

Les yeux de Gilles firent trois tours : l'un les fit dans le sens des aiguilles et l'autre dans le sens de mes robinets de douche, ce qui cause plus d'un ennui à qui s'y trouve pour la première fois.

– C'est que, heu, nous n'avons rien de bleu à boire! objecta poliment le serveur.

– Vous n'avez qu'à enlever le jaune d'une crème de menthe et le tour est joué! proposa Tra.

– Bien.

Le serveur retourna à son comptoir relire les instructions du décanteur.

– Tu m'avais promis! ragea Gilles.

– Je m'excuse.

– Le naturel revient au galop!

– Joli nom pour un cheval... Voilà ton roi, annonça Tra.

Le roi était très digne, enveloppé d'une mince peau de tigre, la tête coiffée d'une corne de rhinocéros, des pantoufles en pattes de lions, des os de cou de girafe en guise de collier, des dents de chimpanzés dans le nez, un foie de babouin voisinant sa rate de hyène, une trompe dans le, heu, nombril et un guépard vivant, enchaîné à ses côtés.

– Mon sauveur d'éléphants! hurla joyeusement le roi en faisant l'accolade à Gilles.

– Pouet! Pouet! firent les deux seins de Tra lorsque le roi l'étreignit trop fort.

– C'est votre nom? demanda le roi.

– Oui.

– Eh bien, ravi de vous rencontrer Pouet! Pouet!

Gilles suait à grosses gouttes et cela contrastait avec l'ambiance généralement aride des restaurants africains.

IV

Le souper se déroula presque selon les attentes de Gilles : ce dernier râla contre l'industrie japonaise du synthétiseur qui utilisait le plastique pour ses notes blanches et qui voulait maintenant envahir le marché des défenses d'éléphants.

– Vous imaginez vos éléphants avec des défenses en toc ?

– Impensable ! Mon armée a déjà suffisamment de mal à se débrouiller avec ce genre d'armement, dit le roi.

– Et pourquoi pas des sacs recyclables pour les kangourous ! s'insurgeait Gilles.

– Je vous le demande !

– Quoi ?

– Non, ce n'est rien, s'excusa le roi. Je disais tout simplement : « Je vous le demande ! » Comme ça. Sans rien demander.

En fait, tout alla bien jusqu'à ce que Tra demande au roi Agado si elle pouvait mettre sa tête dans la bouche du guépard. L'ayant vue si habilement jongler avec les assiettes, les couteaux, la table et Gilles, le roi n'hésita pas une seconde :

– Allez-y ! Il adore la tête !

Le guépard fut le seul à se rassasier au restaurant.

La Parfaite

(Elle était divinement comme ça,

rien de moins…)

I

– Cui-cui?* cuisit un oiseau d'un arbre défeuillu en ce joli matin caniculaire de février, la preuve que le trois de ce mois-là fit le mois et qu'un autre volcan faisait des siennes très, très loin de là.

– Cui-cui, cui! cui-cui?** lui répondit poliment un autre, de l'immense cabane à moineaux qu'un gamin avait construite avec soin, mais disposée beaucoup trop bas, de telle sorte qu'un écureuil accaparait tous les logements de l'étage du haut et ennuyait les autres locataires lorsqu'il recevait ses amis suisses en vacances à l'étranger (fait étonnant pour des habitants d'un si joli pays).

Les oiseaux foisonnaient dans le quartier depuis que la plupart des résidents du coin

---

* « Comment ça va ? »
** « Pas mal du tout ! Et toi ? »

s'étaient équipés de mangeoires à ovipares. (Seul le bègue du coin avait une mangeoire pour ovovivipares, au grand dam de ses voisins.) Les lave-autos de la région se réjouissaient de cet état de fait et distribuaient de la nourriture à oiseau en cadeau-prime avec tout lavage.

La compétition était vive au sein de la population. La gloire d'attirer chez soi un geai bleu ou un chardonneret faisait monter la cote de sa mangeoire. Chez plusieurs, on refusait les vulgaires moineaux et les évinçait par diverses ruses telles les claques dans les mains ou la carabine à plombs. Un excentrique se retira de la course lorsqu'il convint qu'il ne parviendrait jamais à attirer un pingouin avec un Popsicle. Seul un couple faisait bande à part : à l'aide d'une chambre bien décorée et d'une panoplie d'animaux en peluche, il tentait en vain d'attirer la cigogne. De son côté, un immigrant chinois raciste disait à qui voulait l'écouter qu'il refuserait d'accueillir un aigle dans son restaurant, mais peu de gens comprenaient bien ce qu'il voulait ainsi dire.

Par une belle matinée ensoleillée, comme celle de ce jour-là, il valait mieux sortir avec son imperméable.

– Maudit qu'ça réveille ben le glapissement des moineaux ! bâilla Normand, un homme.

– Les moineaux ne glapissent pas, réfuta la Parfaite.

— Toé, tu réveilles mal en hostie ! T'es comme une grosse maudite hirondelle qui peupleute !

— Non. C'est le pivert qui peupleute. L'hirondelle gazouille, stridule, trisse ou truisotte.

— Je l'sais-tu quel bruit font les moineaux, les hiboux ou les pigeons ? Chus pas vétérinaire !

— Les vétérinaires n'ont aucun rapport avec le cri des animaux.

— Non, mais c'est quand même eux qui réparent les animaux ! rétorqua Normand.

— Soignent ! corrigea la Parfaite.

— T'es tellement brillante que t'as dû être Miss Varathane !

Normand perdait facilement patience. Shirley ne riait pas le bon mot de Normand qu'elle avait entendu plus d'une fois. À moins que ce ne soit un classique tel « Comment vas-tu, yau d'poêle ? », une délicieuse scie (procédé humoristique consistant à interrompre le cours normal d'une phrase en y insérant un corps étranger lui ressemblant phonétiquement mais sémantiquement superflu), les humains normalement constitués se lassent généralement d'un bon mot dès la seize ou dix-septième répétition ou encore davantage. Cette statistique est inversement proportionnelle à la consommation d'alcool du rigoleur.

Normand a du mal à renouveler ses envolées humoristiques. Il n'est pas une usine à blagues ; il raconte des blagues d'usine. S'il les connaissait, Normand utiliserait les rutilantes techniques humoristiques : la contrepèterie, le pseudo-lapsus, l'anagramme, la modification lexicale ou syntagmatique, l'homonymie, la polysémie, l'hypertextualité par transformation ludique, satirique ou burlesque, l'incompatibilité logique, la contradiction, la règle de trois, la tautologie, le double sens, l'expansion exagérée du discours, la réification de l'abstrait, la comparaison, la dégueulasserie, l'invention lexicale, l'exagération, l'incompétence linguistique ou le classique calembour, toujours bienvenu et de saison. Shirley connaissait tous ces procédés. Elle savait aussi que son Normand ne maîtrisait que la vieille blague plate[6], méthode léguée de père en fils dans les gais partys de famille et tout de même enseignée aux écoles d'humour, car un humoriste doit parfois manger, surtout lorsqu'il a faim.

Shirley savait tout. Alors que les bambins de son âge récitaient l'alphabet sur l'air de *Ah ! Vous dirais-je, Maman…*, c'est-à-dire a-b-c-d-e-f-g, h-i-j-k-l-m-n, o-p-q-r-s-t-u-v, w-x-y-z, elle le chantait sur la mélodie de la *Symphonie n° 1 en do mineur* de Brahms (op. 68) dans l'ordre ou dans le désordre. Frustrée qu'il n'y ait que vingt-six lettres dans notre alphabet tandis que l'on compte plusieurs chiffres – des trimégasuperturbomultiultrabilliards qu'elle connaît tous par cœur sur l'air de Zip-A-Dee-Doo-Dah –, Shirley entreprit l'apprentissage du cantonais à l'âge de onze ans. À cinq ans, alors que ses contemporains passent l'Avent le nez dans les catalogues de jouets, elle étudie plutôt le décalogue de Kieslowski. À six, elle surprit tout le monde en réalisant une reproduction de la *Joconde* avec des crayons de cire. À sept ans, elle vendait les collants que les professeurs appliquaient sur ses travaux parfaits à des élèves moins intelligents qui les réutilisaient sur leurs médiocres travaux pour éviter une baffe de leurs parents. C'est également à sept ans qu'elle cessa d'écrire en lettres attachées parce qu'elle trouvait cela moron. À huit, elle cessait de fumer. À neuf, elle gagnait un concours en interprétant a capella *Da Doo Ron Ron* en latin. À dix, elle fut mannequin pour le catalogue Sirze dans la section des soutiens-gorge orthopédiques. À onze ans, elle avait dressé son chien Rex Tremendae à dire « Allô. Je m'appelle Rex Tremendae. » À dix-sept ans, elle pouvait programmer un magnétoscope, mettre un micro-ondes à l'heure juste et changer un arbre de roue à joints homocinétiques. Elle était la plus populaire de son école et regorgeait d'amis. Lors des examens du Ministère, elle amassait une fortune en louant la place à sa gauche cent dollars et celle à sa droite cinquante. (Comme elle écrivait de la main droite, son bras cachait une partie de sa feuille réponse.)

Pas qu'intelligente, Shirley était pourrie d'autres qualités. Sensible : elle était incapable d'endurer la vue d'enfants qui meurent en Éthiopie; ses yeux s'emplissaient d'eau et la faisaient se sentir très égoïste parce que là-bas, ils en manquent. Forte: les enfants battus au Québec ne l'empêchaient pas de dormir, à moins qu'ils le soient dans le logement d'en dessous. Écologique: elle adorait compter des moutons qui sautent une clôture parce que ça exprime la liberté, et qu'un mouton s'accrocherait peut-être dans un barbelé et se démaillerait, lui procurant ainsi de quoi se tricoter des mitaines sans avoir eu l'odieux de tondre l'animal, et qu'il est plus chaud de porter des mitaines faites de laine plutôt que de peau de boa. Logique: elle n'a jamais loué un rôti de veau pour le regarder dans son four à micro-ondes. Espiègle: parfois, elle disposait la fourchette à la place du couteau et vice-versa pour étourdir Normand. Résistante: personne n'a jamais trouvé l'argument décisif ou les billets d'avion qui l'auraient convaincue de participer à une orgie romaine. Avant-gardiste: en mettant son écran d'ordinateur à l'envers, elle pouvait écrire BELOEIL et SOLEIL avec des chiffres. Sportive: elle savait nager à reculons. Jolie: plusieurs la surnommaient «ma belle». Taquine: elle adorait feindre l'orgasme. Saine: elle était capable de manger des légumes à presque chaque repas. Discrète: aux toilettes, elle ne faisait aucun bruit. Apte: elle l'était beaucoup. Patiente: elle endurait Normand.

Shirley avait tout pour elle. Normand en prime.

Il n'est facile pour personne d'endurer la perfection de son conjoint. Chaque jour, Normand vivait intensément ce drame, et cela l'irritait beaucoup. Shirley était son antonyme et il ignorait la signification de ce mot.

— Si ça signifie « contraire », pourquoi tu m'écœures avec ton latin ?

— Ça ne fait jamais de tort d'accroître son vocabulaire. Tiens, aujourd'hui, je vais t'apprendre un nouveau mot : « roustoupie ». Joli mot, non ?

— Pis qu'est-ce que ça veut dire « roustoupie » ?

— C'est le synonyme d'un autre nouveau mot : « broufinou ».

— Pis qu'est-ce ça veut dire « broufinou » ? dit Normand sur un ton qui dénotait une rage grandissante.

— Sûrement la même chose que « roustoupie » puisque ce sont deux nouveaux mots qui ne veulent rien dire. S'ils ne veulent rien dire tous les deux, c'est donc qu'ils sont synonymes.

— Tu parles comme un *Reader's Digest...* J'vais aller travailler un peu.

Normand ne travaille jamais beaucoup, car il est d'une nature plutôt paresseuse. Ce qu'il préfère, c'est revêtir sa combinaison de jogging puis s'installer devant la télé. Il est tout de même employé en tant qu'alcoolique à la brasserie Laflatt, où son boulot consiste à boire le fond des bouteilles vides avant qu'elles ne soient réutilisées. Le plus dur, c'est d'avaler les vieux mégots, mais c'est pour ça qu'on lui paye un bon prix. C'est grâce au bon boulot de types comme Normand que les produits Laflatt gagnent tous les premiers prix des brasseurs de bière. Il aime son métier et l'aimera tant qu'on n'agrandira pas les goulots, sinon des buveurs négligents pourraient y jeter leur sac à vidange, leur ciment concassé ou leurs vieux restants de peinture. Pour le moment, le goulot ayant l'ouverture que l'on connaît, il ne risquait d'avaler que des mégots, des bouchons de bouteilles bien pliés, des messages de détresse, de vieilles mouches noyées, des lames de rasoir au temps de l'Halloween ou des bateaux que de malins buveurs confectionnaient après une trop grosse brosse.

Shirley avait un boulot bien moins banal. Ses parents auraient espéré la voir devenir docteure, physicienne, avocate ou cheval dans l'écurie de René Angelure. Tous croyaient qu'elle aurait un destin digne de sa perfection, c'est-à-dire trois ou quatre prix Nobel.

Sensible au sort de l'alimentation de notre société moderne, elle a plutôt choisi d'être emballeuse de tranches de fromage Single chez Skraft. C'est bien pratique la préparation de fromage fondu en tranches enveloppées individuellement, mais c'est enrageant pour qui les enveloppe. Elle fut si bonne qu'on la nomma ensuite cadre. Elle enseignait aux nouveaux employés comment rabattre l'extrémité la plus courte par-dessus la plus longue, car plusieurs les confondent. Lorsque l'extrémité la plus longue est rabattue sur la plus courte, le consommateur est pris par surprise. Si, pour déballer sa tranche de cheddar doux le consommateur doit tirer l'extrémité la plus longue, il aura l'étrange sensation – presque désagréable – que son fromage est défectueux. Il s'agit de cette même sensation qui vous envahit lorsque, chez un oncle, la porte du réfrigérateur ne s'ouvre pas dans le même sens que la vôtre ou quand, d'un geste banal, vous tentez de saisir votre tasse de café et que l'anse se trouve du mauvais côté. Bref, ce geste routinier de l'affamé ne doit pas être gâché par un emballeur de fromage en tranches maladroit ou inexpérimenté.

Aussi, il arrive fréquemment qu'un nouvel employé applique trop de colle sur les trois millimètres de cellophane des côtés latéraux qui débordent du fromage proprement dit et qui servent justement à contenir le fromage et à l'empêcher de sécher. Alors, notre consommateur empressé est pris au dépourvu par ce surplus de colle et doit lancer davantage d'influx nerveux à sa main droite pour tirer l'extrémité courte et offrir une plus grande résistance avec sa main gauche, celle qui retient la tranche.

(Mes excuses auprès des gauchers. Lisez ces instructions et pratiquez devant un miroir.) Tout cela, évidemment, à grande vitesse puisque l'affamé voulait déposer la tranche de fromage sur sa rondelle de steak haché avant que celle-ci ne refroidisse. Cette nécessité d'un déploiement d'énergie supérieur à l'habitude brisait, une fois encore, la routine, le rituel sacré du consommateur. Et inévitablement, sa rondelle de viande refroidissait. De plus, cette surdose de colle et le geste nécessairement plus violent qu'elle engendrait risquaient de déchirer la tranche en deux parts inégales ; une part de 6,3 centimètres sur 8,4 et une autre de 2,5 centimètres sur 8,4. Incidemment, l'affamé déposera les deux morceaux côte à côte sur sa rondelle de steak haché, couvrira le tout du chapeau de pain à hamburger, mordra un bon coup dans son lunch et, bien sûr, il aura mordu dans le morceau de 6,3 centimètres. Conséquence : le morceau de 2,5 centimètres glissera hors du hamburger et, au mieux, tombera dans l'assiette ou, au pire, lui coulera lentement sur la main. Notre dévoreur devient alors dévoré, dévoré par le dégoût.

Ne pas appliquer suffisamment de colle peut aussi engendrer les pires conséquences. Les tranches se dépotent dans le paquet et Skraft reçoit de la marde des distributeurs. La plus grande difficulté que rencontrent généralement les nouveaux employés, c'est de bien centrer la tranche de fromage lorsqu'elle tombe de la sploutcheuse sur le rectangle de cellophane. Si une tranche n'est pas bien centrée sur le cellophane, les nouveaux doivent la replacer avec leurs doigts, ce qui gêne la direction, car plusieurs nouveaux mettent leurs doigts dans leur nez. En plus, ces employés maladroits doivent déposer la bouteille de colle et la règle pour effectuer la remise en place. La productivité y goûte puis, conséquemment, notre PNB à tous. Résultat : crise économique, chômage, violence conjugale, manque de place dans nos prisons, sentences réduites, bandits en liberté plus tôt que le voudrait le gros bon sens, gens craintifs de sortir de chez eux puis abrutissement par la télévision. Shirley tenait dans ses mains le sort de l'humanité tout entière. Un producteur d'émission de télévision aurait pu tenter de corrompre la Parfaite en l'incitant à faire baisser la production et faire ainsi monter en flèche ses cotes d'écoute. Mais la Parfaite portait son nom.

Évidemment, le boulot d'emballeur de tranches de fromage est moins difficile que celui de l'employé qui doit compter les calories pour qu'il y en ait toujours 66 par tranche, car souvent d'autres employés le taquine en criant 34, 68, 12, 27 ou n'importe lequel des nombres restants – que je ne vous nommerai pas afin d'éviter une certaine lourdeur – et le compteur doit alors recommencer à zéro. Si l'employé passe au travers de ce calvaire, il peut espérer une promotion : compteur de calories dans le département des tranches légères.

Une jeune fille telle que Shirley n'a pu qu'engendrer des profits supplémentaires à son entreprise : elle a fait introduire chez son employeur le procédé des quadrillés avant Schnailleder et Black Diamone. Ce relief quadrillé aux côtés latéraux fait qu'un minimum de colle est nécessaire pour un maximum d'efficacité. Cette méthode garde le fromage plus frais parce que l'emballage court moins de risques de s'éventer. Voilà pourquoi, si vous achetez un autre produit que les tranches Single de Skraft originales, vous risquez d'apercevoir des coins plus foncés sur votre cheddar. Les coins secs, Skraft n'en est plus responsable grâce à Shirley.

Elle gravit tous les échelons et se retrouva responsable de la production. Elle était en vacances lorsqu'un employé déclencha la dernière crise économique en mélangeant bleu d'Auvergne et cheddar doux. Tout rentra dans l'ordre au pays lorsqu'elle initia ses employés à de nouvelles méthodes de travail plus productives. Entre autres, il y avait « la productivité par l'humour » méthode consistant, pour chaque employé mâle, à profiter de sa pause-café pour se déguiser en femme (et vice-versa) et se cacher dans une garde-robe pour faire rigoler ses confrères. Ainsi, l'humour rendait productif. Des théoriciens très bien cotés mettaient de l'avant depuis peu cette nouvelle technique de la productivité par l'humour. Seul le gouvernement n'avait pas adopté cette technique. Avec les résultats que l'on sait...

II

Après une rude journée de travail (Normand a dû avaler le bouquin *L'Esprit de bottine* qu'un abruti avait réussi à glisser à l'intérieur d'une grosse bière et Shirley a dû expliquer à un nouvel employé fraîchement arrivé du Liban qu'il n'y a rien de marrant à se déguiser en musulmane puisqu'on ne lui voit pas la bette, que ce qui fait rire les autres employés, c'est de voir la bette d'un homme maquillé en femme, et que s'il s'obstinait à porter le tchador, il provoquerait une nouvelle crise économique et serait probablement retourné *illico* dans son pays où il ne fait pas bon vivre), Normand et Shirley se retrouvèrent dans leur mignonne maison, décorée avec goût par la Parfaite. Le repas fut évidemment succulent : un délicieux Jyhkcgwua, mets typiquement exotique. Shirley louait évidemment les mœurs du peuple lkxvslkernaz, ces experts en sodomie dont elle avait visité la contrée éloignée à quelques reprises. Voilà un peuple sans cérémonie qui sait apprécier ce qui est délicieux.

La Parfaite rappela à Normand qu'il valait mieux laver les verres avant les chaudrons. Puis ils firent l'amour dans leur bain. Shirley rassura Normand : il n'y avait aucune raison de craindre de rester coincés l'un dans l'autre.

— Mes chums ont déjà dit ça ! s'inquiéta Normand.

— C'est une légende, l'informa Shirley. Sinon, seul Jésus-Christ pourrait baiser au-dessus de l'eau. Ce serait con : il n'en profiterait même pas !

— Oui, mais mes chums ont déjà dit ça ! répéta Normand jusqu'au moment où l'irréversible survint, sans conséquence.

III

Le reste de la soirée fut un enfer.

Shirley et Normand s'installèrent confortablement devant leur téléviseur afin de regarder le Quizz, un quiz qui les mettait pour la première fois en vedettes puisqu'ils avaient participé à l'enregistrement d'une émission.

Contrairement à l'habitude, les participants de ce quiz doivent répondre à des questions d'intérêt général par des réponses. Grâce à cette formule inusitée, le Quizz récoltait d'excellentes cotes d'écoute. On se présente en couple ; celui-ci choisit la personne du duo qui répondra la première. Si la réponse se révèle fausse, le partenaire a une chance d'essayer une nouvelle réponse uniquement si le membre fautif du duo accepte de subir une épreuve. Et ces épreuves sont éprouvantes.

Évidemment, Normand devait essayer de répondre aux questions en premier. Ainsi, Shirley pourrait chaque fois sauver la mise.

L'animateur adorait animer et cela paraissait :

– Première question, Armand !

– Normand, corrigea celui-ci.

– Bonne réponse ! ahaha l'animateur. C'était un test afin de voir l'état de vos réflexes, cher ami.

– Chu ben prime, pas d'problème !

– Vous avez entendu, chers téléspectateurs ? Notre concurrent est chubenprime pasd'problème ! Joli québécisme ! Ah, ha... Vous êtes prêts tous les deux ?

– Oui, répondit le couple.

– Bien. Attention Normand : « Il prépara l'attaque contre la Bastille et périt sur l'échafaud avec Danton. Qui est-ce ? » Vous avez un gros dix secondes.

– Dix ! cria la foule.

– Heu... réfléchit Normand tout haut.

– Neuf !

– Attendez...

– Huit !

– Où j'aurais dû avoir appris ça, moi ?

– Six !

– Hé! monsieur l'animateur, la foule a oublié de dire sept!

– C'est pour vous jouer un tout petit tour! répondit-il à Normand. Nous avons un groupe fantastique ce soir! Lâchez pas! ordonna-t-il aux spectateurs qui assistaient à l'enregistrement de l'émission.

– Quatre! lui hurla la foule, enthousiaste.

– Hé! Ils n'ont pas encore dit sept et déjà ils sautent à quatre! C'est pas juste!

– Pendant que je vous parlais, ils comptaient dans leur tête! rétorqua le monsieur l'animateur.

– Deux!

– Vous voyez ce que je veux dire? confirma-t-il.

– Un!

– Zéro, Normand. Alors? Qui est-ce?

– Heu, Louis XV?

– Ah, ah, ah, ah, ah! rit la foule, heureuse.

– Non, cher Normand. Il ne s'agit pas de Louis XV, évidemment. Acceptez-vous de subir une épreuve afin de permettre à votre partenaire Shirley de répondre?

– Oui. C'est quoi l'épreuve cette semaine?

– Vous avez une grande confiance en Shirley!... Saaaaam? demanda le monsieur l'animateur.

– Eh bien, cette semaine, nous avons toute une épreuve pour nos téléspectateurs! répondit Saaaaaam, le monsieur off, sur une jolie musique de quiz. C'est un envoi d'Antoine Abd Sa'üd qui gagne ainsi dix dollars en bons d'achat n'importe où le plus près de chez lui si possible!

— Et quelle est-elle cette épreuve, bordel? redemanda le monsieur l'animateur, respectant ainsi la formule con-sacrée.

— Le concurrent doit tout d'abord avaler une douzaine d'œufs, boire six litres de jus de pruneaux et crier ciseau tout en ayant douze biscuits secs dans la bouche. Qu'il pourra avaler, à nos frais, s'il réussit. Et s'il réussit, il pourra passer à l'étape suivante: se faire passer dessus par un camion, résister à érecter devant Mauricia, notre hôtesse complètement nue, et enfin servir de cible à Gong, notre lanceur de couteaux borgne, mais non moins sympathique!

— Qui est borgne? hurlèrent de concert les spectateurs en salle, bien domptés, ce soir-là un autobus jaune qui comptait terminer sa soirée en beauté au talk-show *En toute liberté,* animé par l'unique Jean-Reperd Collier.

— Le lanceur, pas les couteaux! informa Saaaaaam, selon la forme convenue par les concepteurs chèrement payés par le diffuseur. Si le concurrent réussit, il permettra à sa partenaire de répondre à la question en plus de remporter la coutellerie que lui lancera Gong! Une valeur de plusieurs dollars!

À ce moment, le diffuseur a coupé la scène où Normand dit à l'animateur:

– Vous êtes des tabarnak de sales! Ç'a pas d'hostie d'allure de demander ça à un être humain! Si vous m'obligez à faire ça, j'vais dire à tout l'monde que Saaaaaam a une bosse dans l'dos pis les yeux croches!

À la télévision, ça continuait plutôt comme suit:

– Alors Normand, vous êtes d'accord?

Normand n'a pas répondu. Qui ne dit rien consent. Il consentait.

Il a passé l'épreuve. Un couteau lancé par Gong lui transperça la cuisse, sans causer trop de dommages au système nerveux. Il ne banda pas devant Mauricia, mais cela n'avait rien d'inattendu: c'est un running gag au chic quiz Quizz.

Bien sûr, Shirley put répondre à la question. Camille Desmoulins. Ils gagnèrent vingt dollars. Calculant les pertes de salaire qu'allait subir Normand pour soigner sa blessure à la cuisse, Shirley accepta de participer aux prochaines émissions afin d'obtenir un bilan positif.

La perspective de se voir massacrer toutes les semaines à la télé devant ses collègues de Laflatt déplut à Normand.

– J'en peux pus, Shirley. Je suis trop imparfait, trop moche pour toi, pleura-t-il après la diffusion de ce premier épisode sanglant.

– Cesse de te répéter cela! exigea-t-elle. Plus tu te sens moche, plus tu me trouves parfaite. Et plus je suis parfaite, plus tu te sens moche. C'est un cercle vicieux.

– C'est vrai. J'me sens vicieux.

– Et moi plutôt cercle.

– Shirley, j'veux mourir.

– Comment comptes-tu procéder?

– J'vais me suicider. Tout simplement.

– Ce n'est pas si simple, jugea la Parfaite. Plusieurs méthodes s'avèrent souvent inefficaces. Tu risques davantage de te blesser.

– Tu me conseilles quoi?

La Parfaite suggéra la pendaison. Ayant suivi le cours de nœuds 501 à l'Université du Québec, Shirley put confectionner un nœud du pendu exemplaire. Et pour que Normand ne manquât pas son coup, elle passa la première pour lui donner l'exemple. Elle est morte parfaitement, le nœud résistant à merveille au poids d'une si grosse tête.

LA MOUREUSE

(Elle était simple à aimer…)

I

Dans le grand bottin des vraies salopes, Viane n'était pas en tête puisqu'un bottin est généralement en ordre alphabétique, ce qui se révèle fort commode. Pourtant, toute personne lassée par un exercice solitaire régulier assourdissant commençait la lecture de son petit calepin noir par la lettre W. Lorsqu'on ne dispose pas les noms par ordre alphabétique, c'est plus long de trouver celui de Viane Welly et tous étaient toujours pressés de s'y rendre. Viane était populaire auprès des pénis mâles ou artificiels, mais malgré cette gloire, son numéro de téléphone était 775-4438 et personne ne parvenait à s'en souvenir par cœur, hésitant souvent entre 775-4483 ou 770-9126, au grand détriment de la réceptionniste sotte du centre d'aide communautaire qui répondait à ce dernier numéro par « Que puis-je faire pour vous? »

Viane était une légende. Ses quelques jolis seins, ferrés pointus en hiver, la devançaient, ne suivaient pas derrière comme ceux de certaines qui se croient marrantes avec leur traîne de chair usée. Elle pesait son poids dans la balance sans un gramme de plus ou de moins et sa vulve ne regorgeait pas de vermine : elle dégageait un parfum agréable, comme un oreiller lorsqu'on est exténué. Les politiciens enviaient ses fesses qu'ils auraient tous souhaité avoir dans le visage ; tant qu'à arborer une face de cul, autant que ce soit celui de Viane. Coquette, elle s'habillait parfois, mais les garçons et certaines filles la préféraient toutes lumières allumées.

N'importe quel abruti avait l'air d'un dieu grec ou libanais entre les jambes bien rasées de Viane. Et des abrutis, Viane en connaissait. Son miroir en reflétait la preuve. (Selon qui s'y mirait, il pouvait parfois s'agir d'un joli miroir ceint d'un toujours joli cadre ovale. Un cadre de bois taillé dans un érable trentenaire. Il bordait une glace pour imiter son père, bande au forum de Montréal. Sa sœur, nymphomane malchanceuse, a fini petit-bout-de-bois-gossé dans une boutique de souvenirs de Gaspésie : elle aurait préféré finir table de cribble. Saignée à blanc, la famille disparut rapidement. Le sapin, malgré sa chasse annuelle, perdure, puisqu'il est le roi des forêts et que l'on aime sa parure sur un refrain populaire, surtout lorsque atteint d'une noëllite aiguë et qu'on y plèche sa crasse dessous. L'érable, moins chanceux, est entaillé pour boucher nos artères. Le cadre, coiffé d'une couronne bicorne, présentait des ancolies gravées au bédane, rendant la texture du bois presque sinusoïde et essoufflant mon vocabulaire qui, tout comme celui du dictionnaire, a ses limites malgré que j'aie pu inclure trois mots comportant un tréma en quelques phrases. Attention : il ne faut pas confondre tréma et trémat lorsqu'on navigue en canoë. On avait également agrémenté les côtés du cadre de deux pandas, l'un gaucher l'autre droitier – quelle chance pour le sculpteur de trouver ces modèles ! – qui semblaient supporter le cadre, la glace et le sosie de quiconque s'y regardait. Le cadre étant taillé de façon grossière, j'en ai déduit qu'il s'agissait de pandas, car voilà un bien bel animal, et qu'il m'apparaissait amusant qu'une bête en voie de disparition soutienne un miroir. Tout compte fait, si on brise ce fabuleux miroir, on hérite tout de même de sept ans de malheur, quarante-neuf si l'on est chien à l'horoscope chinois et deux mille trois cent quatre-vingt-trois si l'on est un chien du signe chien.)

En compagnie de Viane, pas une seconde n'était perdue en palabres inutiles ; pas question de discuter de la situation politique de la minorité irlandaise musulmane, de musique baroque ou de cette damnée géothermie qui nuit à la construction d'un tunnel qui relierait enfin Lachine à la Chine.

Un seul sujet : l'alimentation naturelle. Viane était délicieuse d'un point de vue culinaire : on la dévorait. Mais ce n'était pas du tout cuit : elle remuait comme une gerboise et ne distribuait jamais les caresses avec parcimonie. Elle masturbait avec sa bouche, obstruait avec tous ses doigts, offrait chacun de ses quatre orifices à n'importe quoi et hurlait chaque fois plus fort qu'un train qui siffle son arrivée à la gare (quoiqu'on ait du mal aujourd'hui, à imaginer le bruit que fait un train). Elle était fantastique.

Après l'amour, même le plus désagréable des anciens fumeurs renonçait à sa résolution du jour de l'An. Les quelques jours d'indisposition naturelle mensuelle, on éteignait la lumière. Au sortir, un condom ressemble à un gant chirurgical et ce n'est pas très joli. Selon leurs Simples Écritures, les témoins de Jéhovah ne se prêtent pas à ce genre de pratique. De toute façon, Viane ne sonnait pas aux portes : elle y écoutait.

II

Le portrait de Viane me semble bien brossé et en ajouter davantage ou inclure des photos explicatives vous divertirait, certes, mais songez aux conséquences si ce livre se retrouvait dans une bibliothèque scolaire ?

L'ignoble bibliothécaire aux cheveux gras de l'école se verrait obliger d'en commander chaque semaine ou de revoir son inefficace système antivol. Il crèverait son budget et n'aurait plus les moyens de relier les vieux Morane contre des ombres jaunes bien pâles comparées à la couleur de ses pages.

Il faut tout de même préciser les causes de cet engouement pour la chose sexuelle chez Viane.

Son père : Bob « big Bop » Welly a l'insigne honneur de figurer dans le livre des Retors Grinuss à la chronique « longueur de pénis ». Son organe reproducteur de huit mètres (vingt-quatre pieds trois pouces) lui a valu d'y avoir sa photo de la page 273 à 284. Son pénis avait une faiblesse à la base puisqu'à la naissance de Bob, on confondit son sexe et son cordon ombilical et qu'il fallut une opération chirurgicale pour lui recoudre le sexe au bon endroit. Le chirurgien, humoriste à ses heures de travail, ce que lui permet aussi sa convention collective (on lui paye même des cours de comédie qui sont censés améliorer sa productivité), tenait à le lui greffer dans le front, mais la perspective d'avoir une licorne dans la maison déplut à la maman, car elle ne connaissait rien aux soins des animaux mythiques. Plus pratique, une jeune infirmière proposa qu'on le lui greffe dans le dos ; ainsi, il n'aurait pas besoin de louer une planche à voile pour plaire aux jeunes infirmières en vacances. Une autre proposa l'intérieur de l'oreille pour que Bob ait toujours une bonne raison de ne pas écouter les récriminations de sa future épouse et ainsi pouvoir lui rétorquer : « Parle plus fort ! J'ai un pénis dans l'oreille ! » De son côté, le papa jugea qu'un pénis dans le visage, dans le dos ou l'oreille de son fils risquait de nuire à ses études de droit. On le circoncit avec une scie mécanique et le prépuce put servir à des greffes de peau pour les cent cinquante-deux grands brûlés d'une secte pyrolâtrique qui vénéraient Prométhée, aussi premier grand greffé du foie. (On doit d'ailleurs à cette secte l'expression « Ayoyedon ! C'est chaud ! » Voilà un apport non négligeable d'une secte religieuse que l'on décriait jusque-là uniquement parce qu'elle exigeait de ses membres tous leurs revenus, leurs placements bancaires, etc.) Bob ne fut jamais accueilli au sein du barreau. Il fut donc pompiste jusqu'à ce qu'il se tanne des automobilistes qui lui passaient sur le pénis à cinq ou six reprises parce qu'ils n'entendaient pas le ding ! ding ! familier. Au centre commercial, il devait constamment demander aux enfants de débarquer de son organe. Bob courait aussi un grand risque chaque fois qu'il observait de trop près des pompiers à l'œuvre. La nuit, il rêvait qu'il était danseur de ballet dans Casse-Noisette, que les spectateurs l'apercevaient en léotard et se moquaient de lui en lui criant des noms dont on devine facilement la teneur. Philosophe, Bob croyait qu'il valait mieux avoir un pénis de huit mètres qu'un testicule de huit kilos.

Un tel pénis avait aussi des inconvénients déplaisants : le temps qu'il soit en érection sur ses huit mètres, le désir avait disparu. Viane participait donc à la corvée hebdomadaire qui consistait à masturber ce pénis sur toute sa longueur. Les oncles et tantes mettaient généralement la main à la pâte et tout se terminait en un party monstre où volaient les quolibets les moins obligeants à l'endroit de Bob. Répété chaque semaine, cet exercice s'ancra dans les sens de Viane.

Sa mère : incontinente, Urénie Welly choisit d'en prendre son parti. Depuis sa tendre enfance, elle buvait son urine. En été, avec des glaçons et une tranche de citron. Elle savait que l'urine est une excellente source de chlore, de sodium, de potassium, de phosphore, d'urée et d'acide urique, citrique, lactique, oxalique et excentrique. Au printemps, lorsque les nuits étaient froides et les jours plus doux, elle pouvait boire plus de deux litres quotidiennement. Elle adorait les bonnes blagues diurétiques puis tordre ses sous-vêtements.

Évidemment, ce n'était pas très bien vu lorsqu'elle décidait de se verser un verre à table ou pire, au restaurant. Mais après peu, elle convertit les plus grands détracteurs de cet us.

Toute la famille, Viane comprise, se désaltérait donc d'urine qu'on agrémentait parfois de cristaux de saveurs pour en changer la couleur. Les viniers disparurent des fêtes familiales pour faire place aux urinoirs. Les oncles et tantes souffrant de rétention étaient mal vus et bien souvent évincés des partys.

Viane fut fortement influencée par cette habitude et développa des mœurs bien étranges pour qui ne partage pas la conviction qu'un grand verre de pisse, c'est franchement meilleur.

Son frère : gambler maladif, M<asuirtiocver Welly est manchot depuis qu'il gagea qu'il pourrait arrêter l'hélice du bimoteur d'un voisin avec un bras. Malpoli, il mettait souvent ses orteils dans son nez, ce qui gênait les clients du restaurant où il était boss-boy. Il leur répondait alors en dressant le majeur de son pied droit. Son malheur lui était rappelé chaque fois qu'on lui demandait l'annulaire du téléphone de Montréal, car il était beaucoup trop lourd pour être supporté par ses orteils. Adactyle, il apprit tout de même la harpe et jouait en pizzicato avec ses pieds tout en marquant le rythme avec ses oreilles, qu'il parvenait à faire remuer, imitant ainsi Joséphine Bonaparte. Lorsqu'il interprétait *You really got me*, version Van Halen, on disait de lui qu'il avait des orteils de fée. Doté de gros orteils musclés et robustes, il avait toutefois du mal à dactylographier, voilà pourquoi il orthographiait « Maurice » de cette

façon. Il apprit à compter sur le bout de ses orteils et pouvait réciter cette magnifique comptine : « Le pouce part en voyage. L'index le conduit à la gare. Le majeur porte ses bagages. L'annulaire porte son manteau. Et le petit auriculaire, qui ne porte rien du tout, trotte derrière comme un petit toutou. »

Au moins une fois par jour, à l'adolescence, Viane devait masturber M<asuirtiocver. Pour se partir, il caressait alors la poitrine de Viane et elle prenait son pied. Du pied d'athlète était vénérien et ces jours-là, il gardait ses bas.

Grandir dans un environnement si unique fit de Viane ce qu'elle est aujourd'hui : une jolie fille sans tabou ni chum steady sitôt qu'il se pointe dans un party de famille.

III

On aurait pu croire Viane parfaite. Zoologiquement, si. Pourtant, l'opinion de Robert, aujourd'hui diverge. (Excusez-moi, je n'ai pu m'en empêcher. Elle est facile, je sais.) Robert aime d'amour Viane et lui-même. N'attendant pas qu'un ascenseur soit en panne pour y faire l'amour, Viane y rencontra Robert. Robert est réparateur d'ascenseur et passait celui-là à l'inspection annuelle. Le raffut des fesses de Viane claquant sur les cuisses d'un inconnu ne leur permit pas de converser. Mais la forte tendance au voyeurisme de Robert fit qu'il en tomba amoureux et l'invita à vivre devant lui.

Afin de combler ses pulsions d'observateur de coïts, il installa une caméra derrière un miroir sans tain dont je ne vous décrirai pas le cadre et filmait sans interruption les journées de Viane. Le soir, il revenait à la maison et visionnait chaque minute des ébats de Viane. Après vingt-huit masturbations, il tombait inconscient dans une espèce de coma orgasmique que ne connaissent que les voyeurs qui ont vu le lion qui a vu le lièvre qui a vu le voyeur.

Chaque jour, des hommes et des femmes défilaient chez Robert. Au boulot, il attendait avec anxiété cinq heures pour retourner à la maison, passer une bonne soirée de cinéma avec du pop corn, beaucoup de beurre et sa main droite.

Après quelques semaines, il agrandit son espace de stationnement et aménagea une salle d'attente. Aussi, il installa un autre miroir sans tain où d'autres voyeurs pouvaient voir la scène. Ils étaient filmés, au grand plaisir de Robert. Son plaisir alla croissant chaque fois qu'il installait une nouvelle glace d'où il filmait un voyeur voyant un voyeur voyant un voyeur voyant un voyeur voyant les ébats de Viane.

Viane avait des partenaires réguliers, et ses voisins, des gens anxieux de payer leurs comptes, se plaignaient de l'arrivée tardive de leur courrier et, en réalité, du facteur, un homme affable qui n'hésitait pas à remettre chaque jour le courrier en main propre à Viane. Généralement, il s'agissait de lettres de ce même facteur, type rusé qui avait une baise en échange de quarante-trois cents. Viane ne manquait jamais de lait, de pain, de fleurs, d'aspirateurs, de publications religieuses, de barres de chocolat étudiant et d'excuses des gens qui se trompaient d'adresse par intervalles réguliers.

Il n'y avait aucun rituel avec Viane, et c'est cela qui plaisait à ses partenaires. Ces hommes et femmes, habitués à faire l'amour entre deux périodes de hockey ou deux brassées de linges sales, adoraient l'imagination de cette déesse qui leur permettait de changer la routine en faisant l'amour avant la première et après la deuxième. Mais Viane avait tout de même ses préférences. Elle avait un faible pour son orifice avant où elle adorait insérer des trucs allant du pénis au bâton de cricket pour les plus nobles, de la langue de bœuf au tube de balayeuse pour les amateurs de souvenirs jusqu'au deux litres de Coca-Cola à l'arrière d'une Toyota berline pour les sportifs. L'orifice arrière, moins ouvert, servait aux partenaires plus difficiles et compacts. Elle avait un véritable lexique que l'ignare ne comprenait pas : le pénis pouvait s'appeler kandjar ou kyste ; le prépuce, képi ou kimono ; la glaire, kérosène ou kir ; le coït, kendo ou kermesse ; le sperme, ketchup ou koumys; un film trois X, khi-khi-khi; une performance moyenne, kif-kif; un orgasme, klaxon ou knock-out; une orgie, kolkhoz; quelqu'un qui repartait avec un organe, kleptomane; une maladie vénérienne, kala-azar; un scrotum, kangourou; et un avortement (et il n'y a là aucune surprise), karman. Bref, un paquet de mots contenus en trois pages consécutives dans tout bon dictionnaire. À la lettre *k*.

Ses positions sexuelles relevaient de la science. On reconnaissait évidemment la position du missionnaire et celle du technicien dentaire sédentaire pour les clients conventionnels, amateurs de sensations douces. Mais il y avait aussi celle du vidangeur angoissé avide de légumineuses, du métronome égyptien en retard, du calumet en fer forgé rouillé et celle de la psychologue repue parfois lesbienne tout à fait normale.

IV

Ce jour-là, Viane prit congé de ses amants et maîtresses, et ainsi beaucoup de retard à son agenda. Déjà, plusieurs s'étaient plaints qu'ils devaient attendre cinq minutes avant d'avoir droit à leur tour. Depuis quelque temps, Viane ne se sentait pas très bien. Elle n'avait plus d'appétit, maigrissait sans cesse et s'épuisait plus facilement. Elle ne craignait pas d'être atteinte du sida puisque depuis l'apparition de cette maladie, elle n'avait entretenu des relations intimes qu'avec les mêmes cent trente-deux partenaires. Peut-être n'était-ce qu'un peu de surmenage, crut-elle.

Pour lui changer les idées et la reposer, Robert l'amena au jardin d'acclimatation safari, un endroit où les animaux sont libres entre quatre murs où une autoroute permet aux visiteurs d'écraser le plus de bêtes possible. On compte ensuite les points obtenus (les plus petites bêtes valant cent points et l'éléphant moins cinq) et les meilleurs rapportent la viande de leurs prises chez eux pour la mettre sur leur cheminée. Les animaux qui le peuvent pissent sur vos voitures pour se venger et ruinent vos banquettes lorsque vous leur offrez de les conduire chez un membre de leur famille. C'est plus souvent le rhinocéros que les automobilistes embarquent avec eux, confondant sa corne à un gros pouce incarné. Pourtant, jamais personne n'a vu ce mammifère périssodactyle mettre ce pouce dans son nez. Lors de cette visite, Robert et Viane espéraient tomber sur quelques animaux en rut qui inspireraient de nouvelles positions à la Moureuse.

Jusque-là, tout allait bien. Ils venaient de visiter les poissons rouges et la voiture de Robert était bien propre. Au lieu de la tradition-nelle bouffe à poisson rouge, Robert et Viane distribuèrent des buvards de LSD. Les carassins dorés commencèrent alors à chanter *All You Need Is Love* en canon qu'on reconnaissait sitôt que les bulles éclataient à leur sortie de l'eau. Les visiteurs fuirent lorsque la chorale, baptisée pour l'occasion «Grosse marée, petite nageoire caudale», entreprit un remake du *Phénomène humain* de Teilhard de Chardin sur l'air de *What's New Pussycat?* On interdisait aux gens de fumer: ça angoisse les poissons et peut causer des cancers aux branchies. Ils passèrent ensuite dans la volière des exocets, qui ne se gênèrent pas pour bombarder le pare-brise de Robert. Enfin, le dernier de ces vertébrés aquatiques était Roger, le concierge, un lourd poisson d'avril qui amusait les enfants en s'agrippant à leur dos et en leur faisant croire que leurs parents étaient morts ou d'autres blagues du même bon goût.

Ensuite ce fut le coin des mammifères marins. On avait reproduit leur environnement naturel: l'odeur du diesel et d'huile lourde rappelait les dernières vacances à la plage. Le moteur de Robert s'y noya, mais ils n'eurent pas à attendre très longtemps: arrivèrent en trombe douze sous-marins remorqueurs pour leur prêter leurs services onéreux. Pour se consoler de cette panne, ils observèrent des baleines batifoler, des morses discuter secrètement, des otaries jongler avec des montgolfières, un saumon fumer de vieux botches lancés là par des fumeurs appauvris qui souhaitaient tout de même faire un vœu, Pinocchio et Jiminy se faire un petit poker dans un cétacé qui répétait à qui voulait l'entendre : « C'est assez de me rire au nez, je vous assure, écoutez-moi, je n'ai jamais avalé Jonas ou tout autre pantin de bois, je leur préfère le plancton[*] » et des hippocampes être eux-mêmes sur leurs principes. À la sortie, une pieuvre faisait des bye-bye aux visiteurs adultes impressionnés. Les enfants, eux, préféraient lui lancer des roches.

Ensuite on évita la zone réservée aux alligators, caïmans et autres crocodiles. Elle leur était réservée : personne ne s'y aventurait depuis qu'un autobus scolaire y perdit sa route et sa cargaison. Il s'agissait d'élèves de Saint-Jean-Bosco : les journaux tuèrent la une et firent une fête où ils invitèrent les parents ravis.

On visita donc le coin des insectes. Le repaire des abeilles, guêpes et bourdons était un dur moment à passer, même si les préposés prétendent qu'on ne sent rien et que ça ira mieux après. La cigale ne chantait pas puisqu'on était en automne ; la fourmi était avachie devant son téléviseur, un gros sac de Vomitos entre ses six jambes. La libellule crève les yeux : Robert et Viane ne la regardèrent pas, sinon comment retourner à la maison en voiture ? Des mannes s'écrasèrent sur le pare-brise et

---

[*] Paule Tardif : *Tante Paule raconte à Pascale*, vol. 1.

Robert se promit de retourner dans le bassin des poissons rouges sitôt la visite terminée.

Le site des protozoaires fut ennuyeux. Ils le passèrent rapidement, ignorant les écriteaux rappelant leurs apports à la faune contemporaine, tout comme le site des animaux de la ferme où l'odeur très naturelle n'emballe personne d'autre que les citadins en voiture. Seul peut-être le numéro d'une truie qui dansait à une table en montrant son jambon et son filet attira l'attention de nos deux visiteurs.

Le véhicule du gugusse qui les précédait dans ce site, un kart propulsé par une hélice, déplaçait la sciure, le foin et les plumes de la volaille. Robert s'empressa de faire remonter ses glaces électriques où se coinça la crête d'un coq bègue. Viane se moqua de ce nouveau chauve qui hurlait « Co... Co... Corico! » et Robert accéléra pour devancer cet abruti à hélice qui n'aura jamais de brevet.

Ce fut ensuite la cage à perroquet.

– Comment ça va Coco ? demanda Robert à l'ara.

– J'm'appelle Charles-Étienne, niaiseux! lui répondit l'oiseau, surprenant ainsi son interlocuteur.

– Comment ça va Charles-Étienne ? demanda donc Viane.

– J'm'appelle Charles-Étienne, niaiseux! lui répondit l'oiseau, révélant ainsi sa vraie nature.

Sombre, Robert quitta la cage en démarrant à mille milles à l'heure minimum.

Ils arrivèrent enfin sur le site des mammifères africains. Un lama en vacances à l'étranger donna un coup de main à Robert, qui manquait de liquide lave-glace, et nos héros purent apprécier davantage la faune. Pour plus de plaisir, Viane distribuait du ginseng aux animaux qui venaient manger dans sa main. Bientôt la scène fut orgiaque : les animaux copulaient sans égards à leur embranchement, classe, ordre et sous-ordre : un tigre sodomisait une antilope, une gazelle se régalait d'un Sud-Africain ségrégationniste et une souris serviable s'invita dans un éléphant chatouilleux. L'autruche, gênée, fut une proie facile pour le gorille dominateur.

Bientôt, tous baignaient dans la semence. La voiture de Robert dérapa et alla s'écraser contre un hippopotame. Robert et l'objectif de sa caméra admiraient le tableau avec envie. Viane ne put plus résister et quitta la voiture, allant ainsi à l'encontre du règlement du Parc Safari, un parc subventionné et donc régi par notre gouvernement viril et sévère, comme dans tout ce qui concerne les parcs safaris québécois.

Tous se firent Viane avec une passion qui réjouit Robert. Même le poisson d'avril, qui voyait là un avantage social à ajouter à ses avantages sociaux tira son coup.

V

Quelques jours plus tard, la santé de Viane avait périclité à un point tel qu'elle n'avait pu reprendre du service auprès de ses partenaires impatients. Elle consulta un médecin qui décela chez elle un cancer du poumon carabiné.

Suivant ses dernières volontés, on l'exposa toute nue et on permit à certains amants qui n'attendaient que ce moment de lui prouver qu'ils l'aimaient très fort eux aussi. Ils fumèrent pour elle une dernière cigarette avant de la mettre en terre.

La Ffreuse

(En colère, elle l'était…)

I

— Regardez tous ! C'est la monstre sangui-
naire, vénérienne et contagieuse qui s'en vient !
hurla un commerçant prévenant avant de faire
descendre son rideau de fer, d'éteindre toutes
lumières et de se cacher sous un lit qu'il entre-
tenait dans son arrière-boutique pour faire
essayer des appareils ménagers aux ménagères
ingénues.

L'attention des badauds à la recherche
d'aubaines de cette artère commerciale ainsi
captée, tous y allèrent de leur plus belle trou-
vaille à l'endroit de la Ffreuse :

— Sa mère a dû la nourrir avec du dégobille
de chien ! cria une vétérinaire qui connaît
bien les effets de cette pratique fantasque et
nauséabonde.

— Espèce de p ! Espèce de p, p, p, p, ! Espèce
de p, p, p, scandait un bègue tenace.

— Et quelle odeur ! On jurerait de la,
heu, vous comprenez ! beugla un aveugle qui

n'aimait pas les gros mots, même si son handicap l'empêchait de les mesurer avec précision.

— Wouf! Grr! Waf! jappa avec colère un vieil épagneul autant à la monstre qu'à la vétérinaire qui avait manqué de politesse à l'égard des us et coutumes des siens.

— On a dû l'échapper dans un baril d'acide hycéphadrénalitique! osa un chimiste champion de mots croisés.

— Véritablement, ce n'est pas de chance pour l'industrie du miroir! supposa un sage avec tact.

— Où est-elle? rageait un égaré qui hésitait entre se croire ailleurs ou croire que l'ailleurs se trouvait aussi à l'endroit où il souhaitait voir sa personne.

— Arrosons-la! stridait la sirène du seul camion de pompier rouge de la ville, sur un ton urgent et empli de précautions.

— Au seuil de ma porte d'entrée, j'installerai un tapis avec son visage affreux dessus! dit une vieille dame qui aimait ses planchers reluisants, bien que cela les rendait plus glissants et lui avait jusqu'à maintenant coûté sa hanche.

— C'est commode à l'Halloween! réfléchit un esprit pratique en feuilletant son agenda électronique, à la recherche du jour où il devra changer les piles de son outil.

— Ainsi laide, devons-nous lui donner de la monnaie? s'inquiétait un avare.

— Faisons-lui l'amour! proposa le député du comté, un brave politicien qui fantasmait sur tout ce qui n'est pas aussi régulier que tous les gens de sa race.

— Mettons-la en prison! suggéra un naïf qui ignorait que les prisonniers ont aussi une association qui défend leurs droits et qui s'opposerait à l'incarcération de la Ffreuse.

— Passe chez moi te refaire une beauté! proposa la quincaillière dans un dessein uniquement lucratif.

— Ainsi laide, on ne peut parvenir à imaginer pire! Ça s'existe pas! cria un critique littéraire qui ne maîtrisait malheureusement pas la conjugaison du verbe exister.

— Pourriture! parvint à émettre le bègue.

— Quel modèle! s'extasia un peintre à l'esprit ludique.

— Ce visage en peinture à numéros, j'ai du mal à imaginer les chiffres pour la décrire! dit le fils du peintre tout en réalisant qu'il pourrait toutefois dépasser en la coloriant.

— Pourquoi pas 2, 17, 18, 31, 38 et 49! voulut parier un pauvre en ce début de mois.

— Ses parents ont dû quitter le pays! Je pourrais les croiser! s'inquiétait une voyageuse qui traînait chaque jour son projecteur à diapositives, son écran et les dépliants des hôtels visités.

— Croyez-vous? lui répondit un homme. Je les imagine davantage morts, assassinés par la sage-femme qui extraya cet amas de chair difforme !

— Ne dit-on pas extrayit ? demanda à voix forte une dame à son époux.

— Peut-être extrayut ? proposa au hasard le mari dans l'unique but de contredire son épouse.

— Le verbe extraire au passé simple n'existe pas ! clama un membre des sceptiques anonymes après maintes études sur la question et une brève vérification dans son *Nouveau Bescherelle*.

— Son visage me rappelle quelque chose, mais quoi ? essayait de se souvenir un vieil homme.

— Elle pourrait faire du cinéma et tourner dans des films d'horreur japonais ! proposa un cinéphile pas très à la page.

— Avez-vous songé au prix de son assurance-vie ? constata un courtier affable et chauve qui voulait ainsi rassurer ses concitoyens clients de l'excellent prix qu'il leur faisait.

— À quand le droit de tuer ? s'interrogeait un analphabète inconscient qui avait plusieurs semaines de retard dans la lecture des grands titres des journaux.

— Si sa figure était sur notre dollar, ce serait désastreux pour l'économie du pays ! déclarait un positif qui préférait se résigner à endurer Elizabeth Deux et ses méfaits économiques.

— Et ce corps, quelle horreur ! souligna un chiropraticien manchot qui faisait craquer ses patients avec ses pieds et les faisait payer de leur sang.

— Et ce linge ! Atroce ! dédaigna une dame de goût et de coût.

— Qu'est-ce qu'il a son linge ? explosa le commerçant qui le lui avait vendu.

— Laide ! Laide ! Laide ! répétait l'écho.

— Snif ! pleurait un enfant, apeuré en imaginant l'affreuse déguisée en clown sortant de sous son lit tard la nuit.

— Mais non, mais non, lui dit doucement sa mère... Mais ôtez-nous ce monstre de devant les yeux ! ordonna-t-elle à la foule.

— Faites comme moi ! proposa un manutentionnaire qui avait les deux mains sur les yeux.

— Je n'y arrive pas ! témoigna un curieux.

— Ça y est ! Je me souviens ! hurla le vieil homme. Son visage me rappelle Dresde en février 45 ! Quelle rigolade on a eue ! C'était l'bon temps. Nous étions tout près de huit cents Fucker R110 à survoler la ville et à viser les enfants avec des bombes de trois tonnes qu'on lâchait en piqué...

— Comment arriver à la traiter ? l'interrompit l'acupuncteur de la ville.

— Le clou de quatre pouces est en gros spécial, lui glissa la quincaillière qui ne manquait jamais une vente.

— Comme toutes les laides, elle est sûrement bien gentille ! dit un dragueur malchanceux.

— Si on la nommait miss février d'un magazine porno et la faisait apparaître dans un calendrier, j'aurais une meilleure raison de fermer mon commerce et passer ce mois-là dans le Sud ! avoua un garagiste.

— Et si elle usurpait mon identité ? angoissait un usurpophobe.

— Appelons la police ! pleurnicha la mère du bambin qui sombrait maintenant dans un coma avancé.

— Pourquoi donc ? rétorqua un policier en vacances. Qu'on la jette plutôt dansla rivière !

— Pas question ! s'opposa un écologiste. Que diraient les carpes ?

— Alors, passons-la au hachoir ! proposa un sadique qui a déjà établi des statistiques précises sur le temps que peut passer un chat dans un four à micro-ondes.

— Et nuire à mon commerce ? objecta le boucher qui n'avait pas encore terminé de payer la forte amende qu'on lui imposa pour avoir vendu du Paris-Pâté frais qu'il prétendait être de la viande avariée.

— Laissez-nous lui tomber dessus ! se proposa un duo comique formé d'un piano et d'un coffre-fort.

— Inciterais-je une guerre sans merci avec les oiseaux si je l'utilisais comme épouvantail ?

se demandait un cultivateur de petits pois chiches, généreux et bien gentil.

– Un jour, elle portera ses déchets à la rue et les vidangeurs la confondront! espérait un malin.

– Imaginez les spermatozoïdes qui en sont la cause! dit un homme qui avait une excellente vue ou d'immenses spermatozoïdes.

– Voilà un bel exemple de gaspillage éhonté de placenta! disait la pancarte d'un militant proplacentaire.

– Il y a une fote d'ortografe sur votre pancarte, cher monsieux! s'opposa une dame.

– Et vous? Vous ne vous entendez pas parler! lui rétorqua le militant.

– Elle m'inspire une explosion! constata un compositeur de symphonies mineures.

– Et on paye pour ça! L'éducation, l'hospitalisation, les prestations d'assurance-chômage, etc.! s'insurgeait un bon père de famille qui en avait marre.

– Floutche! fit une mouette rieuse en plein visage de la Ffreuse avant de retourner à la rivière écouter la blague de la mouette rieuse qui voulait entrer dans la police, que la police s'est tassée et que la mouette rieuse est entrée dans le mur.

– ...quand les boys sont entrés dans la ville, continuait le vieil homme, nostalgique, il y avait des morceaux de nazis partout! On avait besoin d'un organe? Pas besoin de signer son permis! rigolait-il. On n'avait qu'à les ramasser à terre et à les...

— Elle doit avoir accumulé 5 439 années de malheur à force de se regarder dans le miroir! constata un calculateur.

— Et encore bien davantage si elle habite sous une échelle! dit sans rapport un jeune marrant qui n'avait jusque-là pas réussi à vendre un seul gag de ce genre.

— Que fait le conseil municipal? Dézonons-la! hurla un opposant au maigre régime en place.

— Elle n'aura jamais le sida! réalisa un optimiste.

— À moins d'une transfusion sanguine! s'opposa une femme qui traînait son fils. C'est pourquoi j'ai ici pour elle la revue *Deboute!*

— Si elle oublie un soulier quelque part, brûlez-le! ordonna un brave homme.

— Comment parviendrait-elle à vendre des encyclopédies, des tablettes de chocolat ou des balayeuses? se demandait une porte.

— J'espère qu'elle passe Noël seule! souhaita une vieille dame jalouse et mourante.

— C'est sûr! confirma le vieil ivrogne de la ville. Le père Noël ne passe certainement pas chez elle!

— C'tu encore toi qui sera père Noël au centre d'achats cette année? s'informa un distrait à l'ivrogne.

— Snif! Snif! pleura de plus belle l'enfant qui venait abruptement de réaliser le gros mensonge qu'on lui répétait depuis sa naissance.

— Viens mon enfant, dit doucement le député à l'enfant, j'ai un bon gros nénanne pour toi, bava-t-il pour le consoler.

— Bref, fuyons! Tous! proposa l'esprit pratique.

— C'est ça! Ffffffff, fffffit le bègue. Fuyons tous! parvint-il à chanter sur l'air de *As Long As I Have You.*

Et tous fuirent. Seule dans la rue, la Ffreuse poursuivait son chemin au travers des éclats de verre que le chaos avait causés. Les ruines de certains commerces de la rue fumaient toujours et des rats s'affairaient à se partager les denrées pulvérisées retrouvées dans la rue. Il n'y avait plus personne, sauf le vieil homme et quelques enfants qui l'écoutaient avidement:

— ...faq'c'est de toutes ces façons-là qu'on violait les femmes nazies. Mais le plus plaisant, c'était de leur enfouir une grenade entre les jambes lorsqu'elles avaient perdu connaissance! J'vous jure qu'on prenait nos jambes à notre cou, sinon on aurait sali notre uniforme quand ça pétait, et comme j'étais colonel, je devais donner le bon exemple en gardant mes décorations bien propres. Et si on ne voulait pas prendre nos jambes à notre cou, on n'avait qu'à en ramasser une paire qui traînait par là... Mhan! Les jeunes, c'est comme ça qu'on a évité à la civilisation d'être sous le joug d'Adolf Hitler!

– Qu'est-ce que ça veut dire « joug » ?
demanda un enfant.

II

Nathalie continua son chemin. Elle avait
l'habitude de ces quolibets. De toute façon,
elle avait le cœur à la fête puisqu'elle se rendait
chez son amoureux : un jeune prêtre généreux
mais dyslexique qui avait surtout du mal avec
le *b* et le *p*, et le *d* et le *q*. C'était bien embarrassant lorsqu'il devait bénir quelqu'un. Ils
s'étaient rencontrés dans le confessionnal, où
il fait bien noir. Depuis, se sentant investi de la
bonté divine, le jeune prêtre essayait de mettre
un peu de soleil dans la vie de la Ffreuse.

Nathalie gravit les marches du perron et
sonna à la porte principale de l'église. L'Angélus
prévint le jeune prêtre et les paroissiens que sa
maîtresse arrivait.

– Entre, ma pelle ! dit le prêtre en la prenant
par la taille avec des gants blancs en caoutchouc.

– Je m'ennuyais si tant de vous, père !

– Nathalie, cessez qonc de m'abbelez ainsi.
On se connaît si pien, faites-moi blaisir et
abbelez-moi Formance, exigea le prêtre qui
maîtrisait la base de l'art du calembour.

– D'accord... Formance.

– Pien ! À la ponne heure !... Maintenant,
je qois vous qire une chose : ma servante est
ici, alors, heu, s'il vous blaît, soyez qiscrète.

– D'accord.

– Venez! Elle a brébaré un qélicieux qîner. Je vous invite à le bartager avec moi!

– D'accord.

Ils se rendirent à la magnifique salle à manger du presbytère. La servante était aux fourneaux qu'elle activait lentement en déposant de nouvelles bûches de bonsaï.

– Angèle, nous avons une invitée de blus aujourq'hui. Ajoutez un couvert! ordonna Formance.

– Ah non! Pas elle! émit à mi-voix Angèle lorsqu'elle aperçut la laide.

Elle détestait la laide, comme tous les gens normaux. Nathalie réussit à s'asseoir malgré l'ail qu'elle recevait au visage, et elle admira la table.

– Comme tout cela est joli! Cette nappe... Ces ustensiles... Ces napkins... Ces miettes... Ces assiettes... Comme c'est magnifique!

– Tout un contraste avec toi! remarqua Angèle.

Les assiettes, surtout, époustouflaient. Il s'agissait de vieilles assiettes en porcelaine écossaise sur lesquelles on avait peint à l'encre de Chine les quatorze tableaux du chemin de la Croix et une reproduction cubique des douze apôtres, puis retranscrit les quatre évangiles du *Nouveau Testament* en lettres d'or.

– Regarqez ici, pointa Formance. On y lit ma barole bréférée: «Tu aimeras ton prochain!»

— Oh! Formance! s'exclama la dégueuse. Vous venez de parler normalement!

— Je sais! Le miracle se rebroduit chadue fois! Tout un hasarq, non?

— Vous en faites un peu trop, père, souligna Angèle. Le *d* de hasard est muet.

S'il avait fait une brève recherche généalogique, Formance aurait su que la retranscription des évangiles avait été faite par un de ses lointains aïeux le père Clus, un sédentaire qui avait ce genre de loisir et le même problème langagier que lui. Mais la foi, c'est l'ignorance. Et l'ignorance vaut davantage que la foi au scrabble.

Pour contenir toutes ces icônes et évangiles, les assiettes avaient une taille démesurée. C'est pourquoi quiconque dînait chez Formance ne repartait jamais le ventre vide. Mais, debout dessus, on pouvait réfuter quiconque ne nous croyait pas dans notre assiette. Seule une chicane de ménage aurait pu mal tourner.

— Heu, Nat... Je beux vous abbelez Nat?

— Oh oui! C'est si original!

— Nat, barlez-vous anglais?

— Oui. Why?

— *I woulq like to sbeak apout love with you and Angela goesn't unqerstanq a single worq when I sbeak in english.*

— So, let's talk about love, father, répondit la rebutante.

– *Oh! Charming! Where qiq you get this pritish accent?*

– *Don't take me for a damn fool any more, father!* coupa Angela. *I've learned a lot of fucking new words since I watch movies in English! Don't try to dig me, you bastard! So now, don't disturb me, I'm trying to cunt the potatoes!*

– *Put,* Angela...

– *Suck your mouth! You want to eat? Let me cock!*

Gêné, Formance se tut un moment. L'embarras gagna aussi Nathalie, ne la rendant ainsi pas plus jolie qu'auparavant.

Formance réfléchit un moment, hésita puis proposa :

– Il y a qe cela dueldues années, j'ai fait un stage qe missionnariat en Australie qans la triput qes Ramos. Beut-être connaissez-vous leur langage ?

– Βιενσ ρ! affirma Nathalie.

– Ταντ μιεθχ! Αινσι, νοθσ ποθρρονσ διρε θν παϑθετ δε ψοψηοννεριεσ! se réjouit Formance.

Lorsqu'il parlait ce dialecte, Formance mélangeait le *h* et le *b*, ce qui créait un jeu de mots fort fascinant[8].

– Arrêtez vos niaiseries, coupa la cuisinière. C'est le temps de manger pis on parle pas le romos la bouche pleine ! Le p'tit Jésus pourrait vous voir.

III

Après avoir rassasié chacun de ses orifices, Nathalie quitta le presbytère le coeur léger. Si léger qu'il approchait le bord de ses lèvres. Elle se faufila entre des manifestants qui militaient bruyamment en faveur de la suppression du droit à la libre expression dans les confessionnaux et prit le chemin du retour. (Nathalie n'a aucun mal à se faufiler où que ce soit puisque tous la fuient.)

Inévitablement, elle devait repasser par l'avenue commerçante de la ville. Nathalie savait bien qu'elle ne risquait plus aucune insulte puisque l'auteur les avait épuisées quelques pages auparavant et que des lecteurs normaux se lasseraient probablement d'une autre énumération, la xième de ce recueil.

Dans la rue, il n'y avait plus que désolation, un vieil homme et des enfants à son écoute :

– ... pour leur faire cracher le morceau, continuait le vieil abruti décoré par de non moins abrutis. Souvent, on leur arrachait les ongles d'orteils un à un, les testicules un à un ou on les pendait par le nez lorsque le nez en valait le coup. Mais les nazis étaient solides et avaient épuisé ceux des leurs qui arboraient une forte proéminence nasale. Alors on a dû créer de nouvelles tortures. Entre autres, on leur mettait un rat dans l'anus et on le faisait coudre. Ça créait de l'emploi pour nos petites couturières canadiennes-françaises et suscitait chez nos compositeurs de nouvelles musiques pour accompagner la danse des torturés. D'autres fois, on s'en servait comme cible au tir du nazi d'argile ou on leur criait des noms méchants. Quand l'État-major a réalisé que les nazis se confessaient, que c'est nous qui ne comprenions pas l'allemand, surtout lorsqu'on était ivre mort, on a choisi de les menacer de tout manger le brocoli qu'on mettait dans leur assiette et décidé d'embaucher un traducteur. Encore aujourd'hui, bien des gens se servent du brocoli pour faire chanter.

Se rendant chez elle, la laide passa parmi le groupe d'enfants. L'inévitable survint :

— C'est la laide ! annonça un enfant.

— Attrapez-la ! ordonna le vieil homme dans un élan de nostalgie.

La ffreuse courut, mais lorsqu'on est laid, on perd toujours les courses pour que les vainqueurs beaux nous crachent au visage leur mépris. Les enfants, assoiffés de justice et abreuvés de hauts faits héroïques par le vieux et par la télévision, la rattrapèrent. Nathalie tomba violemment sur le sol. Les enfants la ruèrent de coups de pied, de coups de poing et de coups exorbitants. Ensanglantée, quelques viscères traînant à l'extérieur d'elle, Nathalie perdit conscience.

— Qu'est-ce qu'on lui fait, colonel ?

— Vous savez, les enfants, les tortures de mon temps valaient pour l'époque, il y a de cela cinquante ans. Aujourd'hui, c'est bien différent. Il y en a certainement de meilleures ! Des tortures plus évoluées !... Qu'avez-vous à proposer ?

– Inoculons-lui le sida ! proposa un enfant.

– Et qui est volontaire ? demanda le vieil homme.

– En fait de tortures qui n'existaient pas dans votre temps, colonel, il y a les technologiques, on pourrait peut-être frapper à la tête avec un micro-ondes ! suggéra le plus petit.

– Ou avec un ordinateur ! ajouta un autre enfant.

– Faisons-lui lire dix fois *L'Esprit de bottine* ! dit un autre, plus méchant celui-là.

– Lançons-lui plutôt des roches !

– Ça n'a rien de neuf ! s'opposa le vieil homme. On faisait cela à l'époque de Jésus.

– Lançons-lui de nouvelles roches ! proposa le même, obstiné.

– Et pourquoi pas la faire souffrir ? demanda un petit gros qui commençait à avoir du poil sous le nez.

– C'est ça qu'on cherche à faire, gros épais ! coupa poliment un de ses camarades.

Ils se soucièrent trop longtemps du genre de torture à administrer à Nathalie. Elle avait déjà trépassé et s'apprêtait à vivre un calvaire dans le long tunnel noir, car, lorsqu'on vit cette affreuse se pointer, on a éteint la lumière qu'il y a au bout.

La Dévouée

(Elle disait rarement non…)

I

Jeannette aime Félix d'un amour vrai, intense et rose bonbon depuis qu'il a renversé son verre de vin rouge sur elle dans un bar où ça bouge beaucoup et où l'on sert du vin rouge ou blanc dans des coupes à l'équilibre bien précaire. Surtout s'il s'agit de vin rouge. Jeannette n'a intenté aucune action contre ce bar parce qu'en réalité Félix fit exprès pour ruiner une robe de vingt-huit dollars quatre-vingt-quinze qu'il trouvait à chier et qu'ensuite ils se sont retrouvés dans son lit, jolie compensation liquide. Aussi, cette aventure se déroula un hiver aux trottoirs glissants comme sur une carte de Noël d'époque. Jeannette n'eut donc qu'à sortir se rouler dans les rues où le sel ne manquait pas afin d'éviter aux voitures de faire des coco-bongs.

Leur première nuit d'amour, d'une durée de deux minutes quinze secondes, fut littéralement bovine et dès le lendemain matin, Félix voulait que les choses soient bien claires une fois pour toutes :

– Sors avec moi ! exigea-t-il.

– Pourquoi pas ? répondit la Dévouée qui n'avait pas dit non depuis cette phase bien ennuyeuse de la prime enfance.

– C'est oui ou c'est non ?

– Oui, oui ! réitéra-t-elle, enthousiaste. Je le veux. Zé ve l'ezije !

Félix lui demanda alors d'aller acheter *La Presse*, du lait, des œufs et d'autres condoms. Ainsi, elle a pu lui popoter le déjeuner du siècle. Ils ont refait l'amour ; elle lui a préparé le dîner du siècle. Ils ont refait l'amour ; elle a lavé et récuré sa voiture. Ils ont refait l'amour ; elle lui a préparé le souper du siècle. Ils ont refait l'amour ; elle a lu le scénario du film qu'il a commencé à écrire en 1979 et qui raconte l'histoire d'un gars aux prises avec de méchants terroristes étrangers. Il a voulu refaire l'amour ; elle dormait déjà depuis la phrase précédente.

Elle l'aimait presque à mourir. Au petit matin suivant, elle l'aimait toujours fort fort fort, mais elle devait aller visiter ses vieux.

– Quels vieux ? s'inquiéta Félix, un type parfois jaloux qui n'hésite jamais à frapper dans ces circonstances pour faire valoir son poing de vue.

– Des gens de qui j'écris l'histoire.

– Pourquoi ? vomit-il.

– Parce que les personnes âgées sont des gens fort intéressants. Ils ont un grand vécu et ça m'intéresse. En écrivant leur histoire, d'autres personnes que moi pourraient s'y intéresser. Ainsi, ces gens du troisième âge lèguent leur passé en héritage aux générations à venir!

– Gratis? angoissa Félix.

– Non, bien sûr. J'ai mille piasses la vie!

– Ça leur fait pas cher pour une vie! Combien de pages ça donne?

– Ça dépend. Généralement une cinquantaine.

– Vingt piasses la page? s'insurgea le jeune homme qui comptait diablement vite pour un simple comptable québécois pas tout à fait agréé puisqu'il n'avait subi l'examen de l'Ordre que vingt-deux fois. C'est du bénévolat! De l'escroquerie! De l'esclavage! De la rapine!

– Tu comptes très vite! Comment tu fais?

En amenant Félix à parler de lui-même, Jeannette devinait qu'il en oublierait ses vieux. Il lui a raconté ses études difficiles, ses six tentatives pour se faire nommer au Conseil jeunesse des jeunes libéraux féodaux et ses partys d'étudiants. Elle l'a pris par le bras, ne lui a caressé qu'une seule épaule et ils ont refait l'amour; elle a fait le lit de Félix puis est partie.

– Quel type! pensa-t-elle.

II

Elle épousait toutes les causes, de la semaine de trente-huit heures pour les ordinateurs à la conservation des vieux déchets historiques retrouvés dans des poubelles tout aussi historiques, mais préférait les vieux et leur passé[9].

– C'est arrrivé en 42!

– En 42... répéta la Dévouée.

– As-tu noté? En 42!

– Oui, madame Pion. En 42. 1942.

– 1942! C'tait pas une année orrrdinairrre! J'veux qu'ça soit bien clairrr dans la tête de ceux qui vont lirrre mon histoirrre!

– C'est bien clair pour moi. Ça semble l'être tout autant pour vous. Faudrait qu'on arrête de gosser sur des chiffres pis... aboutissez! dit la bonne Jeannette sur un ton légèrement familier qu'appréciait la gent âgée.

– Oui, mais l'as-tu ben écrit qu'ça s'passait en 42?

– En 42, votre fils Germain a fait une amygdalite, votre mari travaillait à Penman's où il empaquetait des bobettes, votre frère débarquait pour la première et la dernière fois à Dieppe, pis vous aviez loué un chalet dans le Nord. En 42. C'est noté.

– C'était en 42!

– Oui. Maintenant passons à 43!

– 43 a jamais été aussi forrrt que 42! Jamais on a loué un aussi grrros chalet...

– ...qu'en 42...

– Le chalet qu'on a loué en 43 valait jamais celui de 42 !

– Le chalet de 43...

– ... était trrrois fois plus p'tit que celui de 42 !

– Oui, mais là, faudrait passer à 43, vous pensez pas ?

– Y s'est pas passé grrrand chose en 43, comparrré à 42 ! Pac'que 42, c'est l'année qu'j'ai fait ma thrrrombose... Veux-tu un balai au chocolat ?

– Les avez-vous depuis 42 ?

– Non. J'les achète su Prrrovigno. C'est bon, mais le prrroblème c'est que le marrrshmallow colle su'l'bâton pis j'aime pas la sensation de mes dents sur le bâton d'carrrtrrron. Ça m'fait l'effet d'une fourrrchette de prrrastique dans l'fond d'une assiette !

– Une fourchette de plastique ?

– Ouaille. C'est feu mon défunt décédé qui me faisait acheter ça pourrr sauver sua vaisselle ! Pourrrtant, c'tait aussi long à laver que des ustensiles norrrmaux.

– Vous avez encore toutes vos dents ?

– Juste en haut ! En bas j'ai un dentier depuis...

– 42 !

– Es-tu folle ? En 42, j'avais 26 ans !... Non, mon dentier d'en bas je l'ai depuis 46. Une autrrre grrosse année 46 !

– À cause du dentier ?

— Non ! Pac'j'ai déboulé un escalier en livrrrant des prrroduits hayon ! J'm'étais fêlée la hanche. Aussi, 1946 c'est l'année que mon plus vieux a soufferrrt de dyspepsie pac'qu'il vidait pas son assiette pis que ma voisine s'est électrrrocutée en écoutant sa rrradio dans sa douche. Tu comprrrends ben que c'tait nouveau en 46 !

— La radio ?

— Non, la douche.

— On y r'viendra. Nous en sommes à 1943 ! Il s'est rien passé pantoute en 43 ?

— Non. C't'année-là, j'ai pas été malade.

— Ding, dong !

La sonnette. La sonnette allait déconcentrer madame Pion pour le restant de l'après-midi. Il n'y aurait plus rien à en tirer pour aujourd'hui, pensa Jeannette.

— Va donc rrrépondrrre. C'est sûrrrement le livrrreux d'la pharrrmacie qui arrrive avec ma prrrescrrription !

Oui. C'était bien lui.

— Grosse semaine cette semaine, madame Pion ! 239 piasses ! dit en souriant le livreux.

— Pas aussi grrrosse qu'la semaine passée ! s'opposa madame Pion.

— Ni qu'en 42, se murmura Jeannette.

— Pis monsieur Lactose fait dire de renouveler votre prescription pour les bleus et jaunes. Allez-vous y penser ? Les bleus et jaunes !

— J'vais m'écrrrirrre ça surrr un p'tit papier !

– C'est ben correct, mais oubliez pas où vous mettrez votre p'tit papier, madame Pion !

– J'vais l'écrrrirrre sur un rouleau d'papier d'toilette neuf ! Quand l'vieux s'rrra fini, jeudi soirrr, j'vais rrrevoirrr la note pis j'appellerrrai l'docteurrr Grrrumeault !... Va cherrrcher ma bourrrse dans ma chambrrre, ma belle Jeannette.

– Ma bourrrrrrrrse, se répéta la Dévouée en se rendant à la chambre où, sa foi, planait une véritable odeur de... de...

De merde !

– Madame Pion ! cria Jeannette de l'antre nauséabond.

– Quoi ?

– Vous... Heu... Avez-vous... ? Heu... Je... Laissez faire !

Jeannette trouva rapidement la sacoche de madame Pion, jeta un coup d'œil au pauvre Jésus crucifié au-dessus du lit qui ne pouvait se pincer le nez et ressortit aussitôt.

– 239 piasses, t'as dit l'jeune ?

– C'est ça, madame Pion. 118 pour les pilules pis 121 pour les trois cartons d'cigarettes !

– Tiens l'jeune ! V'là 240 ! Avec c'qui rrreste tu t'achèterrrras un Coke pis un chip au ketchup !

– Vous devriez pas traîner autant d'argent en cash, madame Pion ! On accepterait vos chèques, vous savez !

– C'est vrai ce qu'il dit, madame Pion ! confirma Jeannette.

– Non! Les chèques, j'crrrois pas à ça! De toute façon, j'aime mieux encourrrager la rrreine Élizabeth. Pauvrrre femme, elle a tellement de prrroblèmes familiaux...

– Bon. Merci pis à semaine prochaine!... Pis oubliez pas votre prescription! Si vous l'avez pas, j'vous donne pas les bleus et jaunes!

– Bandit! Cannibale! Teuton!

– Bon, eh bien moi aussi j'vais faire un bout, madame Pion! annonça Jeannette. J'vais aller rédiger votre année 42. Une bien grosse année.

– On passe pas à 43?

– Non. Je r'viendrai jeudi soir. En même temps, j'vous rappellerai de renouveler votre prescription parc'que, comme c'est parti là, votre rouleau d'papier d'toilette sera pas fini jeudi soir.

– Au fait, avant qu'tu parrrtes, tu m'rrrendrrrais-tu un beau grrrand serrrvice?

– Heu... oui.

– J'ai eu un p'tit prrroblème la nuit passée. J'ai jamais eu l'temps d'me rrrendrrre aux toilettes... Des fois, j'me dis que j'devrrrais coucher dans l'bain...

– Où y sont vos draps propres?

– Dans pendrrrie.

III

Une fois qu'elle a eut changé la literrrie de madame Pion et bien lavé ses mains, Jeannette sauta dans sa bagnole pour se rendre aussitôt chez monsieur Goulet. Autant madame Pion est brouillonne, rieuse, physiquement diminuée et dotée d'orifices indisciplinés, autant monsieur Goulet est rigoureux, sérieux et dans une forme épatante. Et si son anus venait à lui créer de mauvaises surprises, l'orgueil de monsieur Goulet ferait en sorte que Jeannette n'en saurait rien. Et c'est tant mieux.

Madame Pion rrre et monsieur Goulet che, mais la prestance de celui-ci, un véritable caporal prussien du XIXe siècle, nous le fait oublier. Il a la classe.

Jeannette ne stationnait jamais dans la cour de monsieur Goulet, car sa voiture perdait un peu d'huile et que ça embêtait beaucoup monsieur Goulet : il devait descendre à la cave et couper du bois jusqu'à avoir assez de sciure pour camoufler la tache. Comme il était âgé de soixante-seize ans, Jeannette s'en voulait d'exiger de lui ce genre d'exercice après chacune de ses visites.

Il jardinait derrière la maison. Des fleurs rouges, je crois.

– Elles sont belles, monsieur Goulet !

– Pas achez, Jeannette. Regarde-les de plus près.

– Quoi ? Vous parlez de ces p'tits picots ? Faut s'étirer les yeux pour les voir !

– Ch'est pas des « picots » ! Che chont des araignées ! Minuchcules !

Pas de quoi fouetter un chat, quoique celui de monsieur Goulet mériterait bien quelques coups.

– Tu es en retard aujourd'hui, signala-t-il en entrant dans la maison. Tu n'as pas eu de problèmes avec madame Pion j'echpère ?

– Non, mais on a pu passer qu'au travers de 1942.

– Groche année 1942 !

– Pour vous aussi ? demanda Jeannette, étonnée.

– Dans mon cas, nous n'y chommes pas encore.

– Avec vous, chacune de vos années fut une grosse année.

Cinq rencontres avaient été nécessaires pour passer au travers de sa première année de vie. Pour chaque rencontre, il avait un tas de notes déjà préparées : le nom de la sage-femme qui aida sa mère à accoucher, le jour de sa première dent, ses coliques, les comptines, etc. À la fin de la cinquième rencontre, Jeannette a mis les choses au point : madame Pion lui a parlé de Jeannette, de ses tarifs. Il lui a téléphoné pour qu'elle rédige l'histoire de sa vie pour mille dollars. D'accord jusque-là. Mais à cinq rencontres par année vécue, il en comptait soixante-seize jusqu'à maintenant, elle n'allait pas arrondir ses fins de mois mais bien bousiller sa vie pour la sienne.

— Chi je ne m'abuse, j'en chuis à mes dix-chept ans, n'est-che pas?

— Oui. Si possible, on pourrait essayer de se rendre à vingt aujourd'hui.

— D'abord, tu vas rechter à dîner!

— Bon. OK.

Lorsqu'on chuinte, ça ruine la nappe et sa dignité. Pour lui éviter la gêne de postillonner au visage de Jeannette, monsieur Goulet ne s'assoyait jamais en face d'elle. De son côté, Jeannette ne touchait pas au beurre où atterrissaient des morceaux de bouffe.

— Je peux commencher pendant que j'épluche les patates?

— Pas d'problèmes. Éplussez-les. J'vous écoute, lui répondit Jeannette.

— À mes dix-chept ans auchi j'ai pas eu de gâteau d'anniverchaire en forme de vaicheau chpachial, mais je ne déchechpèrais pas. On était en 1933 et mon père n'avait toujours pas d'emploi et les vaicheaux chpachiaux n'exchichtaient pas encore. Ma mère faisait des ménages chez les chœurs de la Charité, mais charité bien ordonnée commenche par choi-même et les chœurs le répétaient sans cheche, racontait monsieur Goulet en épluchant ses patates sur une jolie plaque de marbre, ce qui transcendait avec madame Pion qui les épluchaient sur ses vieux escroc-vedettes, principalement sur les articles portant sur Pâlo Nowel, qu'elle avait vu au chic Corona de Saint-Hyacinthe chanter *Bibbidi bobbidi boo,* et Michel Oublie, qu'elle préférait avec un zeste d'amidon au visage car ça lui donnait un peu plus de substance.

« Chette année-là, j'ai rechu une grosse bûche de mélèze...

— Cet arbre duquel on tire la térébenthine de Venise ?

— Chelui-là même et un chuperbe couteau pour le gocher. En fait, la bûche ou, chi tu préfère, le réchipient à térébenthine de Venise brut, était une attrape : pas vraiment un cadeau, tu penches bien. Mais le couteau était fantachtique. Je l'ai encore, j'vais aller le chercher !

Pendant qu'il montait au grenier, Jeannette en profita pour repousser le chat de monsieur Goulet par terre et pour lui foutre amoureusement un bon petit coup de pied dans les côtes pour lui apprendre ce qu'il en coûte de la mordre en douce pendant qu'elle doit se taper le discours détaillé de son maître.

— Tiens regarde-moi che couteau ! fit-il en présentant l'arme à la Dévouée. Et regarde-moi cha !

— Qu'est-ce que c'est ?

— Un chupport à chendrier que j'ai goché moi-même ! À l'époque, j'avais juche cha à faire de mes choirées !

– C'est bizarre pour 1933 : une femme nue comme support à cendrier !

– À l'origine, cha devait être un vieux pêcheur barbu avec une canne. Une fois que j'eus goché les deux pieds et demi de mélèze, j'en chuis arrivé à la canne et je l'ai gochée trop minche. Elle ch'est brisée ! Alors j'ai oublié la canne, j'ai arraché la pipe dans la bouche du vieil homme, je l'ai rasé, puis je lui ai goché des cheins pis une feuille d'érable au lieu des parties intimes... Tu comprends pourquoi.

– C'est votre épouse qui vous a inspiré ?

– Non. Je l'ai connue bien plus tard. Mais là, tu dois savoir qu'en gochant che chupport à chendrier, j'ai failli perdre un doigt !

– Que vous avez finalement perdu à Dieppe en même temps que vous perdiez le frère de madame Pion !

– Non. À Dieppe, ch'est le pouche et l'indech droit ! À la factory, c'est le bout du majeur gauche, mais cha, j'peux pas te l'montrer parche que le bras gauche, je l'ai perdu sur la terre de mon frère en essayant sa moissonneuse-batteuse. Non, en gochant ma bûche de mélèze, ch'est le bout de l'indech gauche !... J'ai perdu deux doigts à guerre, un bras chur une terre, ma prochtate avec le cancher, mes cheveux en vieillichant et ma virginité à vingt-chept ans, et je chuis dans une forme chuperbe ! Ch'est quand même drôle, hein ma belle ?

— Très marrant...

— Chi j'pouvais au moins perdre les maudites dents qu'j'ai plein la bouche!

— L'anecdote de la bûche de mélèze, vous voulez que je l'inclue à votre récit?

— Évidemment! Che fut cruchial!

Quand, à 17 ans, un porte-cendrier est crucial dans votre cheminement spirituel, ça laisse présager de fabuleuses anecdotes pour plus tard, pensa Jeannette.

— Dites-moi, monsieur Goulet, ça n'a pas dû être évident d'apprendre à éplucher des patates avec un seul bras.

— Là, on est toujours en 1933. J'te parlerai du déchès de ma femme[10] quand on chera rendu là. Chi tu chavais tout che que j'ai appris à faire avec un cheul bras!

IV

— Tu rechtes pas plus longtemps?

— Non, j'peux pas, répondit Jeannette.

— J'aurais aimé cha te montrer le vidéo de ma chychtourétrochcopie. Mais chi tu veux, j'pourrai te prêter la cachette. Tu la copieras.

— Je dois aller visiter madame Grenon à l'hôpital. Son histoire risque de se terminer avant que j'aie pu passer au travers de son adolescence. Elle en a beaucoup à dire.

— Elle est malade?

– Un peu. Son cancer se généralise. Drôle pour une dame qui accroche si facilement aux détails, non?

– On appelle ça un contrachte! déclara monsieur Goulet.

– J'en parlerai à son infirmière. Elle saura quoi lui prescrire contre les contrachtes.

Jeannette repartit après avoir ajouté une nouvelle pinte d'huile à sa voiture. Elle prit bien soin de rebouchonner le contenant qu'elle irait porter au poste de police, puisqu'il s'agit là d'une matière dangereuse. Le contenu noir aura droit au traitement régulier de la force constabulaire: de bonnes baffes et des insultes justifiées.

Sa route vers l'hôpital se déroula bien: sa voiture n'étouffa que trois fois. De toute façon, elle n'étouffe jamais plus de trois fois puisque trois est le chiffre chanceux de Jeannette. À quoi servirait un chiffre chanceux sinon?

Elle entra à l'hôpital, plissa du nez, se dirigea vers l'ascenseur et monta jusqu'au troisième. Elle poursuivit ensuite sa montée par les escaliers. Arrivée au neuvième, elle parvint à reprendre son souffle, se pencha au-dessus de la rampe et cracha un gros chicot de salive jusqu'au rez-de-chaussée pour se rappeler ses jeux d'enfant.

Chambre 907. Aucun bruit. Seul un léger bip, métronome de vie de madame Grenon, donna à Jeannette le goût de fox-trotter puisque le cœur de madame Grenon battait en 3/4 et que Jeannette ne savait pas danser.

– Madame Grenon!... Madame Grenon! Réveillez-vous! ordonna aimablement Jeannette.

Madame Grenon ne répondit pas.

– Madame Grenon, c'est Jeannette! dit-elle en remuant la vieille.

– J'en peux pus. Laissez-moi mourir! proposa sans condition la pauvre mourante.

– Réveillez-vous, madame Grenon! Je dois continuer à rédiger votre histoire! Vous êtes une personne importante pour la communauté! Les gens doivent connaître votre vécu! Partagez-le!

– J'ai trop mal...

– Bougez pas! lapalissada Jeannette. Garde? Garde? Vite!

La garde n'accourut pas. Elle n'est pas la cavalerie. Elle aboutit enfin:

– Quosse y a?

– Je crois que ses contrachtes la font souffrir. Vous pourriez pas lui donner quelque chose?

– S'il faut que je commence à donner des cadeaux à toué malades d'la place, ça va m'coûter une beurrée!

– Administrez-lui quelque chose! Un médicament!

– Oui. Contre les contrachtes, on y va toujours avec un p'tit coup de morphine. Ça les remet su'l'piton! Je vais en chercher.

– Apportez-en plus que moins!

Quelques secondes plus tard, les injections rapportaient des dividendes :

– Garbulkinovamu, râla la mourante.

– On voit qu'elle va beaucoup mieux, constata la garde.

– Oui. Mais elle ne m'a jamais mentionné qu'elle parlait couramment le scrumblerg !

– La morphine fera disparaître momentanément ses contrachtes. Il ne restera que de légères nuanches. Ça vous empêchera pas de lui parler.

– D'accord. Et merci, dit Jeannette à la garde... Alors, madame Grenon, ça file un meilleur coton ?

– Blub, acquiesça la dame.

– Nous en étions à 1933. En vous servant de votre abri tempo comme garde-manger, vous étiez la première à concevoir le Saran Wrap. C'est là qu'on est rendu dans l'histoire de votre vie... Madame Grenon ?

– Zirgh.

– Vous devez aller mieux : vous reprenez des couleurs ! Avec vos jolis yeux bleus pis un peu de rouge à lèvres, votre face pourrait ressembler au drapeau français !

– Furjek.

– Décidément, ça ne s'améliore pas.

– Xuwqu.

– Cessez de faire l'enfant, madame Grenon. Je ne connais rien à toutes ces langues étrangères. Le plus loin où je me suis rendue, c'est à

Sainte-Adèle où j'ai participé au sauvetage d'un arbre qu'un sculpteur de poupées russes voulait anéantir.

— Whj.

Jeannette perdit patience et administra de bonnes mornifles à la vieille récalcitrante pour lui faire reprendre ses esprits.

Le bruit des claques et des coups de pied alerta le médecin de madame Grenon, dont le bureau n'est situé qu'à quelques étages de là. Pour faire plus vite, il arriva en trombe.

— Que faites-vous là ? hurla le docteur en déposant sa trombe près de la porte.

— J'essaie de la faire revenir à elle ! l'informa Jeannette tout en y allant maintenant d'une savante savate sauvage.

— Cessez tout effort, mademoiselle...

— Peut-être qu'un marteau, une batte de baseball ou un bon coup de maison à deux étages sur la tête lui remettrait les idées en place ? Elle n'est pas consciente de la lourde responsabilité qui pèse sur elle : elle est indispensable au développement des générations à venir !

— Non. c'est très généreux de votre part, mais déposez ce fouet. Il n'y a plus rien à faire pour elle, affirma le médecin sur le ton désolé d'un mécanicien qui annonce à son crédule client qu'il faudrait changer la trottle chamber.

Jeannette versa une larme que le docteur prit avec deux glaces et une tranche de citron.

— Il lui faudrait au plus vite un nouveau foie, continua le médecin. Et nous n'avons trouvé encore aucun donneur compatible. Nous fouillons les zoos et espérons trouver un babouin qui...

— Utiliser le foie d'un brave babouin? Un animal en voie de distinction? Jamais!... Pourquoi pas moi? s'offrit Jeannette. Tous me disent très compatible! Je suis prête à lui en céder un!... Des foies, on en a bien deux, non?

— Je ne m'en souviens jamais, remarqua le médecin. J'hésite chaque fois entre rein et foie...

— Tirons au sort! proposa Jeannette, enthousiaste.

Le médecin lança la bassine dans les airs. Si elle retombait sur le côté généralement usité lors de son utilisation, Jeannette aurait deux reins. Si la bassine retombait à l'envers, elle aurait deux foies.

— J'ai deux foies! s'extasia Jeannette, lorsque la bassine retomba à l'envers, répandant ainsi son contenu sur les draps de madame Grenon.

— Alors nous vous prendrons le premier foie que nous apercevrons en vous tripatouillant l'intérieur! expliqua le médecin.

— Allons tout de suite à la salle d'opération! ordonna Jeannette. Il n'y a pas une minute à perdre!

LA PULA

(Elle est partie.)

La dernière fois que je me suis brûlé au deuxième degré – le premier étant ignifuge – en allumant un bivouac après une trop grosse sécheresse dans un camping sauvage, inflammable et provincial, je crus souffrir. (La première étant la fois où nous jouions à marcher pieds nus dans le hibachi plein de rutilants charbons très ardents pour imiter de rutilants Sioux que nous avions vus dans un film de Benji et la deuxième étant celle où j'ai échappé mon brûleur du jeu Le petit chimiste dans ma garde-robe en m'allumant un cigare Colt en cachette. Les autres épisodes sont plus banals.) Quand je suis tombé en bas du chariot de la fête foraine et que le chariot suivant m'a brisé quatre côtes en plus de me faire échapper ma pomme dans le caramel, j'ai cru souffrir. Quand mon père m'avait pourtant juré sur sa propre tête de bien tenir la corde et que ma cheville a heurté un violent rocher douze pieds plus bas, j'ai cru souffrir. Quand mon neveu m'a demandé de lui indiquer quel morceau du Stade olympique s'était écroulé et que le conducteur me précédant a freiné brusquement, fêlant ainsi mon crâne et ce qu'il y a dessous, j'ai cru souffrir. Quand le concessionnaire m'a juré qu'ordinairement les coussins gonflables sont efficients et qu'il m'a ensuite fait une superbe démonstration de savates najanaises sur les voitures dans la salle de démonstration, j'ai encore cru souffrir. Quand elle est arrivée subrepticement chez mon frère, où nous rénovions le sous-sol, et que sa beauté a capté encore et toujours mon attention, lui faisant ainsi quitter le banc de scie tout neuf et propre, j'ai cru souffrir.

Ce n'était rien. Aujourd'hui, elle n'est plus là.

Je tourne en rond dans mon trois et demie comme un vieux lion du zoo de Granby en hiver, sous-nourri puisqu'aucune main d'enfant ne se glisse entre les barreaux. Sans elle, je suis un moineau mort, écrasé vingt fois sur l'asphalte noir, qu'aucun gamin ne ramassera pour enterrer derrière le garage. Je n'ai plus à mettre de sel et de vinaigre sur mes frites : je pleure au-dessus et les bouffe à la cuillère. Toutes les pubs crient son nom. D'autres crachent le mien. Sans elle, mon cœur ne s'envole plus, il gonfle : ça m'empêche de respirer et toute l'humidité me sort par les yeux rouges. Pour manger, je dois être drôle ; sans elle, je n'ai plus faim.

J'ai besoin d'elle pour savoir si j'ai les oreilles sales, pour reculer ma bagnole dans un endroit exigu, pour mettre un cadre au niveau, pour avoir une raison de ne plus pisser sur le siège de toilette, de m'acheter de la farine ou même de me laver. Je la reveux pour faire un top-là !, danser collé, me mettre en colère, pleurer sur son cœur, m'attendrir et vivre. Elle est nécessaire, indispensable, essentielle, vitale. Me gratter le dos, me remettre à ma place, m'endormir quand tout va mal et avoir une raison de me réveiller.

J'ai besoin d'aller la sauver quand sa voiture est en panne à vingt mille kilomètres, d'accourir quand des cambrioleurs brusques ont tout cassé chez elle, de veiller sur son sommeil quand elle a un examen important le lendemain et de remonter sa couverture qui ne descend jamais vraiment nulle part ailleurs que dans mon imagination angoissée. J'ai besoin de son regard effilé comme un sabre qui me signale que j'ai dit une bêtise et que je ne devrais surtout pas songer à l'écrire, celle-là aussi. Les seules fois où je me sus beau, c'est parce qu'elle avait usé d'assez de paraboles pour m'y faire croire. Ma main droite est nulle depuis qu'elle ne serre plus ses hanches, mon nez pue et mon frigidaire ressemble à une boîte de nuit : sitôt la lumière faite, tout se calme. J'ai besoin de lire au lit avec ses cheveux dans la bouche et ses poumons qui ronflent contre les miens qui veillent. Lui faire l'amour parce que c'est si facile, dévorer son sein si fort pour embrasser le cœur qu'il y a dessous. La sentir parce que c'est bon. L'aimer.

C'est sur ma chemise que son petit nez doit couler quand ses épaules remuent de douleur. C'est sa main que mon visage doit accueillir malgré tout quand je fais une autre connerie. C'est moi, le type qu'elle doit voir derrière son corps fabuleux dans son miroir. C'est pour moi qu'elle doit s'y regarder. C'est moi qui dois la dévêtir, ou elle le faire pour moi, pour ne pas dormir tout habillée. C'est au passage de mon majeur que ses pores doivent se hérisser.

Sans moi, ses enfants seront laids, comme tous les enfants des autres. C'est à mon nom qu'elle doit répondre. C'est mon prénom qu'elle doit crier lorsqu'elle a peur. Sinon, à quoi je sers ? Elle est mon phare : comment continuer sans elle ?

Je connaissais ses dix orteils par cœur. Si parfois elle en oubliait un par mégarde, je le remarquais tout de suite. J'étais le gardien de ses secrets : elle aimait ses petits pois cuits à la poêle, sa bière dans un verre et ma barbe bien rasée. Elle chantait comme une sirène, mais seule mon oreille droite s'en souvient, sa petite bouche ne pouvant chanter doucement et rejoindre les deux àla fois.

Ça fait trop longtemps. J'ai beau tordre mes oreillers, plus rien n'a son odeur ici. Tout pue. Le camelot n'entre jamais, il préfère le seuil froid du couloir où le chien frileux du locataire d'en dessous se soulage l'hiver. Mon trois et demie ne vaut plus le prix. Elle est partie et c'est maintenant trop petit. Le plafond s'abaisse ou le plancher s'élève. Les murs me haïssent. Je fume une cigarette et des bilous de poussière roulent sur le prélart laid. Les autres locataires s'inquiètent : je putréfie. Si les policiers viennent, ils m'accuseront d'avoir des pensées insalubres.

Je le sais, le romantisme, la poésie, la mécanique automobile et la photo, ce n'est pas dans mes cordes, mais on apprécie toujours davantage un amoureux qui donne de sa sueur lors d'un déménagement qu'un tartempion qui envoie des fleurs pour meubler le nouveau logement. On préfère un frêle qui se meurt à forcer au costaud qui se meurt à s'enfoncer dans son divan ; un pauvre les mains gercées à un riche au cœur condamné ; un petit pendu par les bras à un grand rampant toujours plus bas ; un curieux satisfait à un repu inquiet.

Même faxé, mon cœur ne servirait que de brouillon. J'ai eu l'affection de l'enfant, jamais de l'adulte. Et à cet âge de mutant, on nourri plus d'ambition que de rigoler sur les gens qui trébuchent en bicyclette.

Mon répondeur ne répond plus, à rien. Quelques faux numéros, quelques faux amis, quelques vrais ennemis, rien de plus.

C'est arrivé simplement. Avant de partir pour le boulot, une réunion avec une humoriste qui n'ira pas plus loin que le métro Beaubien, si encore son agent consent à lui avancer cette somme, après un délicieux sandwich aux œufs comme mon amour seul sait les faire, je lui dis : « Je t'aime. » Comme d'habitude. Au lieu d'acquiescer, comme d'habitude, elle fond en larmes. Allons bon, me dis-je, elle est allergique à son nouveau chat, elle a échoué à son examen sur le behaviourisme ou elle a changé de coiffure sans que je m'en aperçoive.

— Non ! signifie-t-elle avec sa tête parce que sa bouche est occupée à cracher des sanglots gros comme ça.

— T'aimerais que je t'achète ce cadre tricoté du vieux marin à la pipe et casquette que tu aimes tant ?

— Renon, évidente-t-elle.

— Quoi ? christ-je. Qu'est-ce que t'as ? J'te dis que j't'aime et tu pleures ! C'est pas régulier !

— J'pense que j't'aime pus, parvient-elle à émettre entre deux renifles.

Simplement.

On se revoit ce soir-là. Elle ne pense plus : elle sait.

Il y eut un gigantesque tremblement de terre. Un immense typhon ravagea les ports. Des incendies ruinèrent ce qui restait de vie. Puis, la planète a explosé.

1er épisode :

SE NOYER HORS DE L'EAU

– Voilà une très jolie image ! Un joli titre !

I

C'est une tête souffrante et furieuse de mes abus de la veille qui m'a réveillé violemment, sans prévenir :

– Wharrrgh ! Lève-toi lentement et rampe doucement jusqu'à ta pharmacie. Si, dans deux secondes, t'as pas avalé trois ou quatre aspirines, j'exagère ! me prévint-elle.

– Tais-toi, la tête ! Tu n'es pas la seule à enfler ! Va vite à la salle de bain ! ajouta ma vessie obèse, un organe docile qui a au moins eu le tact d'attendre que mon mal de tête m'eût réveillé pour me dire autre chose que « je suis partie toute seule aux toilettes et tu ne m'as pas suivie ».

En chemin vers la salle de bain, la tête continuait de m'injurier. Un gros neurone de six pouces balançait dans mon crâne en martelant mes tempes à répétition, et mes mains serrées sur mon crâne ne parvenaient pas à assourdir le son. « Je ne bois jamais plus comme hier soir», me promis-je encore. La tête ne m'a pas cru et m'a envoyé une droite directement sur le front.

Après trois vains essais, je réussis enfin à aligner la flèche du couvercle avec la flèche du contenant. Cette précaution évite aux enfants de déjeuner aux aspirines. Alors, si les mômes ne peuvent pas ouvrir le contenant, pourquoi nous foutre aussi une ouate avec laquelle je me suis débattu pendant d'âpres secondes?

Le flot du robinet m'a suggéré d'attendre avant d'avaler mes quatre aspirines et les multiples filets de ouate qui restent sur le bout de la langue. Après deux ou trois délicieux frissons, j'ai regardé ma bite, toute seule et recroquevillée dans son ample manteau comme un gamin emmitouflé dans sa serviette après une baignade dans une piscine creusée et froide, et tout m'est revenu : elle m'a quitté hier. Elle est partie. En fait, je suis parti, puisqu'elle me l'a appris chez elle et que je ne voyais aucune raison de rester là plus longtemps. J'aurais eu l'air assez guignol devant ses colocataires copines : «Julie m'a crissé là. Aimeriez-vous que je fasse votre vaisselle, votre ménage ou votre lavage?»

– DRRRRRRRRRRRRING!

Je songeai dès lors à réduire l'intensité de la sonnerie de mon téléphone et à répondre au plus vite avant que mes marteaux ne massacrent mes enclumes.

Ce devait être Julie qui avait bien réfléchi et qui constatait que, tout compte fait, elle m'aimait très beaucoup, beaucoup, beaucoup, qu'il ne pouvait exister un autre garçon cumulant autant de grosses qualités, qu'elle ne m'avait fait qu'une bonne blague et qu'elle m'attendait chez elle pour un hyper big super time de love traditionnel.

— Allô? dis-je en secouant mon pénis.

— Sylvio?

— Combien d'fois j'vais devoir vous dire qu'y a pas de Sylvio icitte! rageais-je au même vieux que d'habitude tout en constatant que j'avais quitté les toilettes sans pour autant avoir terminé ce que j'y faisais et que ma piste des toilettes au téléphone coulait de source.

— Si vous le voyez, dites-lui de rappeler Rosaire, dit très évidemment celui-ci.

Ce Rosaire n'a pas encore compris le fonctionnement d'un appareil téléphonique. Avec un téléphone, on appelle, on répond, on parle, on écoute, on ment, on se fait bourrer, on s'enfarge et on paye. Mon numéro de téléphone doit lui rappeler une date importante ou son numéro d'assurance-maladie. Il le signale et demande Sylvio. Et moi, je me contrefous de Sylvio. Et de Rosaire.

Il y avait de l'urine à ramasser, mais ça ne m'enchantait pas du tout. Alors je l'ai enjambée et suis sagement retourné me coucher, à la grande satisfaction de tout mon corps.

– DRRRRRRRRRRRRRRRRRRRRRRR
RRRRING!

Damné téléphone! Et maintenant, il sonnait plus fort et plus longtemps encore. C'est mal roupi. Évidemment, je sautai du lit en vitesse puisqu'il s'agissait sûrement de Julie. J'oubliai mon mal de tête. Aye! Il se fit remarquer en m'assenant un solide coup de pied derrière la tête avec ses bottines doublées d'acier dur. Je m'accroupis donc, pensant que ça allait amoindrir la douleur. Rien n'y fit : tout le bobo m'a frappé le plafond de la tête.

Je courus au téléphone car je ne souhaitais pas l'entendre une fois de plus. Je courus si vite que j'en oubliai l'urine sur le prélart jaune de la cuisine.

Quand ma tête a frappé le plancher, mes yeux se sont éteints. Pas mes oreilles :

– DRRRRRRRRRRRRRRRRRRRRRRR
RRRRING!

Il y a des mois comme ça, on n'y peut rien.

Je me suis relevé doucement en retenant les morceaux les plus importants de mon crâne.

– Rhâllo, rhâllai-je.

– François? demanda une voix féminine bien différente de celle que j'espérais, puisque ça ne s'apparentait pas à un doux solo de harpe et que Julie m'aurait plutôt appelé Lou, Ti-Canard, Belou-Pouet, Love, Ferouneux, Oumi, Nammou, Soleil, Pampounni, Bébé,

Rounounou, Choucroutte, Sucre, Rouminet ou autres synonymes tout aussi personnels.

– C'est lui, dénonça ma bouche.

– C'est Judith. Ça va ?

Ma belle-sœur. L'épouse de mon frère. La bru de mon père et de ma mère. La mère de mes neveux et nièces...

– Pas beaucoup, lui répondis-je. Qu'est-ce qu'y a ?

– Ton frère et moi, on a gagné des billets pour assister à une conférence d'Armé Doreau sur la pensée positive...

Les enfants n'ont pas gagné :

– ...Pourrais-tu venir garder ? osa-t-elle, délicatement, comme lorsqu'on emprunte à qui l'on doit déjà.

– Boum ! Boum ! s'immisça mon crâne.

– Peux-tu en pounner deux ou trois à quelqu'un d'autre ?

– Non, y a personne d'autre de disponible. Tu vas les avoir tous les sept... De toute façon, avec Julie, t'auras pas de problèmes. T'occupes les plus vieux pendant qu'elle s'arrange avec les plus jeunes. Elle a tellement le tour avec les enfants...

– Julie sera pas là.

– De toute façon, j'suis sûre que t'es capable de t'arranger tout seul, me rassura-t-elle.

– À quelle heure ?

– Bientôt. C'est à Rimouski : on a six heures de char à faire...

— Pour une conférence d'Armé Doreau?
Je repris trois autres aspirines.

II

Harold : neuf ans. Il pourra bientôt garder ses frères et sœurs. Il adore frapper sur les enfants, sur son oncle François ou sur tout ce qui est fragile. Plutôt boss de bécosse. Agréable lorsque bien menotté et emprisonné dans une garde-robe puisqu'il choisit toujours de faire le bandit. Snoreau de la pire espèce, on aimerait qu'il croise un pitbull en liberté aux dents bien affilées. Tout de même, il est mon neveu. Il m'est moralement impossible de lui donner quelques coups de hache pour le corriger.

Rémy : huit ans. Il a beaucoup de mal avec l'alphabet, les chiffres et le dessin, même s'il insiste pour m'en faire cadeau afin que je décore tout mon trois et demi. Il adore se bercer sur des fauteuils qui ne bercent même pas. Il aime aussi faire le stroboscope en passant sa main sans arrêt devant ses yeux. Parle peu. Peu compris et incompréhensible. Refrain favori : « Ba, ba, ba, ba, bi, ba ». Cible favorite de son frère aîné et de sa sœur cadette. A dû être échappé par terre à la pouponnière. Aurait dû être échangé avant que la garantie n'expire.

Rose : sept ans. Fragile et braillarde, son plaisir c'est stooler ses frères ou biner Rémy. Elle sait et déteste jouer du piano. Ses frères plus jeunes jouent plus mal, plus fort et plus souvent qu'elle sur le Steinway du salon. Charmante lorsqu'endormie ou très fatiguée.

Elvis : six ans. Porte ce nom en raison de l'insistance maladive de son parrain, qui, depuis, a divorcé et est disparu en Thaïlande. (Certains l'espèrent mort, d'autres le croient vivant par malédiction divine.) Rigolo, amant de la grimace, vif d'esprit et curieux, Elvis le neveu n'ira malheureusement jamais bien loin puisqu'affublé de ce prénom ignoble. Pas encore assez vieux pour être détestable, mais ça viendra.

Alexandre : un an et demi. Mon filleul. Marche mal. Parle mal. Mange mal. Dessine mal. Crie mal. A toujours mal quelque part. Ne change pas ses couches lui-même.

Antoine : idem. Jumeau d'Alexandre, à moins qu'Alexandre soit le jumeau d'Antoine.

Fanie : quelques semaines... de trop. On la tient solide pour ne pas en faire un Rémy au féminin.

III

— T'oublieras rien ? T'es sûr que tu veux pas que j'écrive tout ça ? s'inquiéta ma belle-sœur.

— Aucun problème. Harold se couche à dix heures, mais il s'astinera pendant une demi-heure. Rémy s'endort n'importe où, n'importe quand, n'importe comment et avec n'importe qui. Rose et Elvis se couchent à neuf heures et huit heures et demie. Alex et Antoine ou Antoine et Alex se couchent à la même heure parce qu'ils sont jumeaux et Fanie dort tout le temps, sauf dans les moments critiques. Pour souper, je fais venir de la pizza : Harold sans piments, sinon il gueule ; Rémy mange jamais ; Rose et Elvis l'aiment végétarienne sans olives ni piments ni champignons ; Alex et Antoine et vice-versa l'aiment coupée en petits morceaux. Fanie mange du pablum après son biberon. Quatre-vingts secondes au micro-ondes, je verse juste un peu de lait, jusqu'à temps que ce soit assez pâteux, mais pas trop. Si c'est trop pâteux, je remets du lait. Si c'est pas assez pâteux, je remets du pablum.

« Harold, Rose et Elvis vont aux toilettes tout seuls. On doit le faire penser à Rémy qui a souvent la tête ailleurs. Alex et Antoine ont des couches. C'est bien pratique pour eux et ça épargne sur le chauffage de leur chambre à coucher. Fanie aussi, mais on doit essuyer la merde en la projetant vers le coccyx et non vers le clito, sinon elle risque d'avoir des maladies à la noune et ce serait très embarrassant, à son âge, de se ramasser dans un CLSC pour des problèmes de ce genre. Surtout si je m'y rends avec elle.

« Les trois plus petits passent la journée en pyjama : Harold, Rose et Elvis le mettent tout seuls et Rémy met parfois une jaquette de

Rose. On le laisse choisir par lui-même, c'est excellent pour son développement intellectuel. La télé d'en bas, c'est pour le hockey, celle du salon pour les films qu'Harold a choisis et celle de votre chambre pour Rose si elle chigne contre les films de son frère. Plus de chips ni de liqueurs après huit heures, sinon ils rêvent au gros minou. Surveiller Rémy et les vieux botches de cigarettes et les lui faire cracher s'il en mâche. Le secouer un peu quand il arrête de respirer et lui passer une débarbouillette d'eau froide quand il rougit sans raison. Tourner la cassette de Mozart de la chambre de Fanie toutes les quarante-cinq minutes et pas hésiter à taper les fesses d'Harold s'il est méchant avec ses frères ou ses sœurs. Réprimander sévèrement les écarts de langage, et la bière est dans la cave froide, je n'en manquerai pas. »

— T'as toute une mémoire ! constata ma belle-sœur, facilement impressionnable si elle me comparait à Rémy.

— Ça doit être les aspirines.

— On devrait être de retour vers midi, annonça mon frère, son gros manteau de poils d'orignal sur le dos.

— Midi ? m'étonnai-je.

— Oui. On va coucher dans un motel là-bas.

— Ah ! Voilà le véritable prétexte !

— Bon. Bonne route... et bonne conférence.

– Soyez sages, les enfants ! leur ordonna mon frère dans l'esprit de la conférence qui l'attendait à Rimouski.

– Comme d'habitude ! mentit Harold.

– Vlam, fit la porte en se refermant.

– Bang ! répondit l'écho dans mon cerveau.

Je me suis retourné à temps vers les enfants :

– Rémy ! Joue pas avec les couteaux de chasse de ton père ! Tu vas t'estropier !

IV

Alex et Antoine commençaient leur sieste de fin d'après-midi et Fanie dormait toujours. Moment de répit, le calme avant l'ouragan.

J'ai sorti des crayons à colorier pour distraire Rémy qui s'en servit tout d'abord pour se percer le palais et remuer sa luette. Harold et Elvis se bataillaient sagement au sous-sol à coups de bâton de hockey ; Rose jouait à la maman et m'apportait régulièrement une assiette vide contenant du steak imaginaire que je mangeais en buvant du café dans une tasse vide très très chaude.

Après ma deuxième bière, ma tête allait déjà mieux. Le reste aussi. Je me sentais vif et la fibre onclaire vibrait en moi. Je ne manquais rien :

– Pas sur la table les dessins, Rémy ! Dessine dans le cahier !... Tiens, pourquoi tu colories pas le gros pas-bon à Babar en gris ?... En jaune ? Ouais, pourquoi pas...

– Harold! Arrête de frapper sur ton frère quand il braille! Laisse-lui le temps de souffler ou prête-lui ton casque! je criais du rez-de-chaussée aux enfants du sous-sol.

– Rémy! Pas dans bouche les crayons! Une bonne fois, tu vas en avaler un pis tu vas mourir!... D'accord: par le nez tu risques rien.

– Rose, j'ai plus très faim. T'aurais pas quelque chose de plus léger qu'un rôti de porc?... Non, pleure pas... Un rôti d'agneau? Bon, d'accord... Pas trop de patates pilées: je surveille ma ligne.

– Harold! Si tu redis tabarnak, mononque va te passer la langue au savon! Tu vas voir, ça goûte mauvais en ciboire!

– Non Rémy. Répète pas ce mot-là.

– Les gars? Pourquoi vous faites pas semblant de vous battre? Vous pourriez jouer plus longtemps! Mononque file pas pour aller niaiser six heures à l'urgence.

– Rémy! Respire un p'tit coup. Pour rassurer mononque.

– Elvis! Monte-moi une bière, s'il vous plaît!

– Rémy, mange pas ton cahier à colorier. C'est caca. Une bonne fois, tes intestins vont se bloquer, tu vas gonfler pis tu vas exploser! Pis tu pourras pas venir te plaindre!

– Harold! Qu'est-ce que tu viens de briser?

– Rémy. Respire, j'ai dit!

– C'est pas grave, Rose. Prends une guénille imaginaire et ramasse le café imaginaire. Non, ça tachera pas ta robe imaginaire... Et rhabille-toi : tu vas attraper une phlébite !

— Non Rémy. Chus sûr que tu peux tenir ton pénis toi-même et bien viser le centre de la cuvette... Non ! Pas de haut en bas ! Passe-le-moi...

— Qu'est-ce qui se passe en bas ? J'vous entends pus !

Tout allait bien jusqu'au moment fatidique : les jumeaux bougeaient dans leur bassinette respective, à moins que ce soit leur bassinette respective. J'ai ouvert doucement la porte de leur chambre et mon odorat ne me trompait pas : ils sont synchronisés comme deux nageurs olympiques.

— Rose, tu joues toujours à la maman ?

— Oui. Pourquoi fiston ?

— Je peux te faire vivre une vraie expérience de maman. As-tu déjà changé des couches ?

— Moi, j'veux pas d'enfant, elle a répondu.

Alex et Antoine avaient pondu. Et pas deux beaux cocos qu'on peut ramasser avec les doigts sans se salir. Deux foires monstres. Les couches n'avaient pas résisté : ils en avaient jusqu'en dessous des bras et dans les oreilles. Ils baignaient dans leur pyjama. On pouvait voir cette odeur planer dans la chambre. À un mètre d'eux, j'ai rampé par terre, comme un GI sachant bien que toute vapeur chaude monte et que, par terre, il restait bien quelques mètres cubes d'oxygène bien frais.

J'ai pris un grand souffle, le même que nécessite la traversée de l'Atlantique sous l'eau, et j'ai agrippé un des deux, le plus près. À la course, je me suis rendu dans la salle de bain. J'ai empoigné le pommeau de la douche et aspergé le corps d'Alex ou d'Antoine au fur et à mesure que j'ouvrais sa combinaison. Après quelques secondes, j'ai laissé tomber la douche et suis allé dans la cuisine pour reprendre mon souffle et refaire ma traversée dans le sens inverse. J'apparaissais dans la cuisine juste à temps :

— Rémy ! Joue pas avec la prise électrique ! Tes parents font tout c'qui est possible pour économiser l'énergie !

Après une bière, j'ai lavé le deuxième. Une fois dans un nouveau pyjama bien sec, ils couraient partout, touchaient à tout et prenaient des risques bien inutiles d'un point de vue adulte aux environs du poêle. Ils n'étaient pas morts. Je n'étais plus très fort.

— Elvis ! Monte-moi une bière, s'il vous plaît !

Pour les occuper, j'ai décidé qu'on boufferait.

— Rémy, veux-tu essayer d'appeler la pizza ?

— Ba, ba, ba, bi, ba.

— Laisse. Je vais appeler moi-même. Sauf la leur, les employés de pizzeria maîtrisent mal les langues étrangères... Rose, veux-tu m'aider à mettre la table ?

— T'aider, oui. À mettre la table, non.

– Bon... Alex, descends du poêle ! Une bonne fois, il y aura un rond allumé pis tu mourras pis ça sera de ta faute... Antoine, fais pas le singe...

– C'est le contraire, mononque ! me dit Rose.

– Et comment tu fais pour les différencier ?

– Alex est droitier et Antoine est gaucher.

– T'es sûre de c'que tu dis là ?

J'ai réussi à mettre la table. Quand j'ai constaté le plaisir que prenaient les jumeaux à tirer sur la nappe, je l'ai retirée. Une fois strappés dans leur chaise haute, je respirais un peu mieux.

– Ding ! Dong ! fit la pizza.

– Venez ! On soupe !... Rémy, fais-moi pus accroire que t'as pas faim si tu t'enlèves pas la face du cendrier... Elvis ! En montant, tu m'apporteras une bière !

Sitôt que chacun a eu la pizza de son choix dans son assiette et qu'une grosse pointe bien grasse s'est trouvée dans la mienne, Fanie a décidé de se réveiller pour bouffer.

V

Tout allait presque bien. Frais rasé et moins ivre, j'aurais eu l'air du père modèle. Pour le moment, je n'avais l'air que du père régulier. Fanie dans une main, le biberon dans l'autre, j'observais ma pizza refroidir hypocritement et prodiguais de judicieux conseils sur l'art de se tenir à table à mes jeunes amis :

— Elvis, on joue pas avec le manger. Au Biafra, le monde meurt de faim parce qu'avant, y'arrêtait pas de se servir de grains de riz comme pitons de Monopoly.

— Rose, essaye de manger avec tes ustensiles... Même si papa mange de la pizza avec ses doigts...

— Rémy, lâche le couteau. T'as faim ou t'as pas faim ?

— Harold, si j'te vois encore lancer de la bouffe à ton frère, j'te la fais avaler par le derrière... Oui, Elvis. C'est un mot très drôle... D'accord, moins drôle que péteux. Si nous parlions d'autre chose ?... Foufounes ? D'accord.

— Mononque, j'peux-tu inviter mes amis à venir ici à soir ? demanda Harold.

— T'en as pas assez, des amis, ici ?

— C'est pas des amis ! C'est mes frères pis mes sœurs !

— Ses amis, y fument en cachette ! annonça Rose.

— Non. Pas d'amis ce soir. T'en inviteras un imaginaire. Qui fumera des cigarettes imaginaires. Comme ça, Rémy pourra mâcher leurs botches.

— Rose, s'il te plaît, arrête de tremper ta pizza dans ton verre de lait. C'est répugnant.

Tout allait bien. Fanie avait terminé tout son biberon. J'essayais de la faire roter en lui tapotant le dos et songeais que ça irait bien plus vite avec un marteau. Elvis remontait une autre bière. Tout allait bien.

— Julie va-tu venir à soir? s'informa innocemment Rose.

Fanie a choisi ce moment pour régurgiter.

— Non. Julie viendra pus, j'ai répondu doucement. Harold, va chercher une débarbouillette humide...

La schnoutte répandue sur mon épaule avait une odeur insoutenable. Le métabolisme de cet enfant est détraqué. Elle doit boire de l'huile à chauffage en cachette.

— Vous avez cassé? demanda Harold de retour avec une guénille.

— C'est ça. Oui... Rémy, qu'est-ce t'as à rire?... Non, non: continue de rire. Au moins, pendant ce temps-là tu respires.

Quand j'ai pu enfin dénicher une main pour manger, je n'avais plus faim. J'ai sanglé Fanie sur son siège, détaché les jumeaux et défait la table.

Le diable était aux vaches. Je ne me sentais plus patient du tout. L'alcool m'avait un peu assommé et j'aurais aimé me retrouver dans mon lit ou avoir un peu d'aide. Les enfants couraient partout, pleuraient et riaient fort, les jumeaux entreprirent *Rhapsody in Blue* à rebours sur le piano. Fanie avait des coliques ou vivait un drame intense qu'elle refusait de m'expliquer et Rémy s'automutilait avec ses ongles tout en se régalant du *TV Hebdo*.

Je ne m'entendais plus crier. J'ai vainement tenté de disperser la troupe sur les trois étages, mais ils adoraient ma compagnie et me lançaient des trucs à la tête le plus fort qu'ils pouvaient pour m'exprimer leur amour. Les verres de liqueur et de jus se renversaient à qui mieux mieux et des chips venues de je-ne-sais-où volaient dans les airs comme des papillons au barbecue.

Julie aurait su se faire écouter.

Soudain, observant Fanie prisonnière de son siège, j'ai eu l'idée qui me sauverait:

– Les enfants, on s'en va faire un tour de machine!

– Oui! Oui! hurlèrent-ils tous.

Il me fallut trois quarts d'heure à les habiller. Les plus vieux commençaient à perdre patience quand on embarqua enfin dans la fourgonnette de mon frère. Ils avaient tous un siège à leur convenance et à leur taille. Bien sanglés, ils ne pouvaient plus causer le moindre dommage.

Elvis avait apporté les deux bières que je lui avais demandées. Le voyage durerait aussi longtemps que le permettaient six cent quatre-vingt-deux millilitres de Molson. J'ai fait démarrer le moteur et mis la chaufferette au maximum.

– Où on va? demanda Harold.

– Où vous voulez!

Ça faisait cinq minutes que l'on volait parmi les nuages et déjà la Chine était en vue, puisqu'il s'agissait là de la première destination choisie.

– C'tu vrai qu'il y a des milliers de milliards de Chinois, mononque?

– Oui. Et c'est pour ça qu'ils sont jaunes!

– Hein?

– Pour qu'ils se reconnaissent entre eux... Rémy, si tu ôtes pas tes mains de devant tes yeux, tu vas tout manquer le voyage!

– En Chine, y a une muraille!

– C'est vrai, Rose. Ils l'ont construite pour se protéger des Mongols!

– J'vais m'en faire une autour de ma chambre pour me protéger de Rémy! lança Harold.

– Les Japonais aussi sont jaunes! dit Elvis. Ils doivent se mêler entre eux!

– Non. C'est facile : les Japonais vivent au Japon et les Chinois vivent en Chine.

– Finalement, c'est plate la Chine! À place, on va aller à Old Orchard! proposa Rose.

– OK. Destination Old Orchard...

Quelques vroum vroum avec la bouche puis :

– Nous voilà rendus. Harold, débarque du camion et va voir si l'eau est froide.

– Oui! annonça-t-il en remontant. Comme d'habitude!

Nous avons donc choisi de continuer vers la Floride. On a visité Walt Disney. Harold a décidé que Rémy s'était égaré dans le château de la Belle au Bois Dormant et qu'on repartirait sans lui. J'ai plutôt proposé qu'on le fasse rechercher par Arnold Schwarzenegger qui, justement, était assis à ma droite, déguisé en Harold. Il a utilisé une arme tout à fait nouvelle qui faisait bizz bizz et a retrouvé Rémy en moins de deux.

Rose a ensuite choisi l'Italie. Elle a mis des palmes et visité Venise à pied en faisant le tour du camion.

— Ça pue! dit-elle en revenant de Venise. Ça sent les égouts!

— On va changer d'endroit... Rémy, ça te reposerait peut-être le bras si je mettais les essuie-glaces, non?

— C'est à mon tour de choisir! dit Elvis.

— Où tu veux aller?

— À Saint-Hugues!

Non! On n'irait pas chez Julie. Le camion est tombé en panne en chemin. On a écouté de la musique jusqu'à l'arrivée de la dépanneuse. Le mécanicien Harold a déclaré qu'on avait une crevaison et que ça ne coûterait que trois cent cinquante dollars. Après mes deux bières, les jumeaux et Fanie dormaient. Rose m'a fait souffler dans une balloune imaginaire et m'a condamné à la prison à perpétuité. On est rentrés dans la maison.

VII

J'avais accompli ma mission aux trois septièmes. J'ai fêté avec une nouvelle bière bien fraîche. Rose bâillait. Sept quatorzièmes.

– Qu'est-ce qu'on fait mononque ?

– On joue au premier qui s'endort ? proposai-je.

– Si on regardait des diapos ? suggéra plutôt Harold.

– Oui ! Oui ! Oui ! répondit l'unisson.

J'eus beau plaider que j'ignorais où étaient le projecteur, l'écran et les roulettes de diapositives, Harold ou Rose m'opposaient chaque fois un « je le sais, moi ».

J'ai réussi à installer l'écran dans le salon. Je ne voulais pas qu'on se déplace au sous-sol ; je n'aurais pas entendu les jumeaux ou Fanie mourir en s'étouffant avec de l'air. Habituellement, les enfants préfèrent mourir dans leur sommeil quand ils se font garder. Quand leurs parents sont là, il n'y a aucun intérêt à mourir.

Le projecteur était en équilibre sur un coussin, sur le divan.

– Des chips avec ça ?

– Oui ! Oui ! Oui !

C'est Harold qui a proposé les chips. Et il savait où elles se trouvaient.

– Bon. On commence par quelle roulette ? j'ai demandé.

— Celle des anniversaires quand on était petits !

— D'accord Rose. Pis le premier qui déconne, c'est coucouche *right straight to the damn fucking bed* pis j'vous mets de la grosse musique de Big Joe Dassin !

— On va être sage.

Elvis s'assit à ma droite. À gauche, le projecteur. À l'extrême gauche, sur le divan lui aussi, Rémy. Un Rémy fatigué.

— S'il te plaît Rémy, arrête de te bercer. Tu fais bouger le projecteur... Bouge dans ta tête... OK, tu peux faire le whiper, mais doucement. Mais viens jamais te plaindre après que tu as la rétine décollée !

— Rémy, si t'arrêtes pas de bouger, j'te slogue ! prévint le plus vieux.

— Harold, utilise donc ta force pour aller me chercher une autre bière, s'il vous plaît.

J'ai résolu le problème en allant coucher Elvis qui dormait déjà. J'ai pris Rémy dans mes bras et Harold manipulait, en dictateur qu'il est, la commande du projecteur.

On a regardé chacune des mille deux cents diapositives de mon frère. J'ai dû leur expliquer pourquoi j'ai déjà eu les cheveux roses, pourquoi grand-maman les a encore comme ça. Harold et Rose réagissaient beaucoup : ils riaient à se tordre les bobettes chaque fois qu'on voyait une photo de Rémy la main devant les yeux. Rémy ne pouvait pas les voir, Harold passait les diapositives plus rapidement que Rémy ne passait sa main devant ses yeux.

Il y avait des centaines de photos d'anniversaire et de party de Noël. Et parmi celles-là, plusieurs avec la plus belle fille du monde. Rémy a dit « Hulie » et ça nous changeait du « ba, ba, ba, bi, ba » habituel. À chaque apparition de Julie, je devais en parler. Harold se questionnait sur ses seins, Rose sur les choses qu'on faisait ensemble. Ils avaient du mal à croire que Julie et moi jouions aux cartes, à tag malade, aux Legos ou aux petites autos et que dans le lit, nous faisions des batailles d'oreillers. J'ai tenté d'expliquer que les enfants naissent dans les choux de Bruxelles, que c'est pour ça que ça goûte ultramauvais, mais que les adultes en mangent quand même. Toutefois, Harold avait déjà vu une émission à la télé et savait qu'il faut mettre sa graine dans le trou de la fille. Là, il a cru bon de montrer sa bisoune, Rose a rigolé et tout a dégénéré.

J'ai dit bon, ça suffit, tout le monde au lit. Ils ont dit non. J'ai redit oui. Ils ont redit non. J'ai crié oui. Ils se sont tus.

– Bonne nuit, bon rêve. Pas d'puces pas d'punaises.

VIII

Ça faisait douze bières que je m'enfilais, faut dire qu'on était samedi soir. J'étais tranquillement écroulé devant la télé quand Rémy est venu me voir.

— Tu dors pas ? je lui demandai tout bas, pour ne pas déranger Fanie qui buvait elle aussi, faut dire qu'on en était à son boire du soir. Tes frères dorment depuis longtemps.

— H'ai faim, Hulie.

J'ai regardé partout, de chaque côté. Aucune Julie dans les parages.

— Assis-toi. Quand Fanie aura fini, j'vais nous faire des grilled-cheese. Ça te dit ?

— Ba, ba, ba, bi, ba.

— Non. Le monsieur de la télé, quand il est content, il dit « Yabadabadou ! »

On s'est bien compris, malgré tout.

Fanie a fini son boulot. Aucun problème, j'avais une serviette sur l'épaule.

Rémy et moi nous sommes goinfrés. Je suis le roi des grilled-cheese. J'en mange chaque jour. Avec ça, un bon jus de pomme pour lui et un bon jus de houblon pour moi. On ne se disait rien parce qu'il n'y avait rien à se dire. Il s'ennuyait de la même personne que moi et, tout comme moi, il s'accommodait de la personne qui traînait à ses côtés. Finalement, Rémy et moi sommes peut-être des types formidables ?

J'ai voulu lui dire qu'il était le préféré de Julie, mais je crois que ça n'aurait rien aidé. Il n'a pas besoin de savoir ça pour être heureux. Il n'a besoin d'absolument rien.

Il y avait une vue simili-porno à la télé, mais Rémy n'en a vu que la moitié. Ce qui est peu. Sa main remuait sans cesse devant ses yeux, heureusement, et donnait au divan des relents de rafiot tanguant à marée haute. Mais je me suis endormi. Avant lui. Dans ses bras.

Le lendemain matin, tout le monde était debout avant les premiers rayons de soleil. Harold gagnait le concours d'avaleurs de toasts, Rémy celui d'avaleurs de botches. Leurs parents sont arrivés pendant que je ramassais le vomi. Le mien.

MA SAUCE À SPAGHETTI À MOI

– Bonjour les dégâts !

I

Le mois dernier, ma copine Marie me dit que je devrais essayer de me gâter un peu. Marie en avait certainement marre de me voir crever pour une fille qui ne donnait plus la moindre nouvelle. Je devenais de plus en plus insupportable pour les autres et pour moi-même. Selon elle, je devais lâcher ma bière et mes malheurs quelques instants et foutre quelque chose d'amusant et de constructif.

– Tu me vois jouer avec des Legos ?

– Non, bien sûr... J'veux dire, tu devrais commencer à penser un peu plus à toi, dit Marie.

– Tu sais pas c'que je donnerais pour penser aux problèmes de quelqu'un d'autre ! Plus je pense à moi, plus ça m'décrisse ! J'veux penser aux autres ! À une autre !

– Pourquoi tu popoterais pas ? C'est un loisir plaisant... pis ça serait bon pour ta santé.

– C'est vrai. Ça me ferait changement de manger quelque chose de chaud avec des ustensiles.

Je commence à en avoir plutôt marre des sandwichs au Paris Pâté, au thon ou au beurre d'arachide et de chier de la salade, pensais-je.

– Prépare-toi ta propre sauce à spaghetti! Tout le monde a sa propre recette pour écœurer les autres avec! T'aurais la tienne. Elle sera peut-être meilleure que celle de ta mère!

– J'peux pas faire ça à ma mère. Depuis vingt-quatre ans, elle prépare la meilleure sauce à spaghetti du monde occidental. Tu me vois débarquer chez elle et lui déclarer que désormais ma sauce est meilleure que la sienne? Vingt-quatre ans de recherches et d'expérimentations afin de développer chaque fois un modèle amélioré! Vingt-quatre ans de longues soirées passées à découper finement des piments, des carottes, des oignons et des betteraves...

– Ta mère met des betteraves dans sa sauce?

– Est-ce que je sais ce qu'il y a dans une sauce à spaghetti? Je n'suis toujours pas pour lire les instructions sur les pots de sauce qu'elle m'offre: elle la met dans des vieux pots de crème glacée.

– Ça aurait de la gueule si tu recevais Julie en lui servant ta propre sauce à spaghetti!

Voilà l'argument décisif. Le lendemain soir, je débarquais chez ma mère comme un poil sur un sein.

II

— Mère! As-tu une recette de sauce à spaghetti à me prêter?

— ???

— J'ai envie d'essayer de faire ma propre sauce. J'inviterais Julie à bouffer chez moi, chandelle, ménage et tout, et elle ne pourrait que constater ma transfiguration. Elle ne parviendrait plus à se passer de ma sauce à spaghetti à moi un jour de plus et devrait bien revenir avec moi afin d'en manger à tous les repas!

— T'sais, commença-t-elle après un long soupir révélant une certaine inquiétude, j'en ai pas de recette. J'fais ça avec des restants que j'trouve en faisant le ménage du frigidaire, pis j'mets les quantités à l'œil.

Impossible! réfléchis-je. Alors... Depuis vingt-quatre ans... Tout ce temps... Le mensonge... L'imposture... Ou un don du ciel?

— T'as pas à t'en faire, la rassurai-je. Des restants, j'en ai plein mon frigidaire... Mais tu dois pourtant avoir une idée de base de ce qu'il faut mettre dans une sauce à spaghetti neuve?

J'imaginais mal utiliser les restants ressuscités qui s'agitaient dans mon frigidaire la nuit.

— Attends, dit-elle en s'éloignant. J'pense que j'ai vu une recette de sauce dans le *Lundi* de février 84.

Pendant trois quarts d'heure, elle fouilla ses vieux *Lundi*, relisant parfois de vieux horoscopes, recritiquant les mêmes vieilles vedettes qu'on voit encore aujourd'hui au petit écran et repleurant les bons mots de Denis Moignette.

– Je l'ai ! eurêka-t-elle. C'est la recette de la maman Simort.

Ce que je découvris plus tard, c'est qu'on a davantage besoin d'un horaire que d'une recette...

III

17 : 02 J'embarque dans ma voiture par la porte de la valise. Le froid paralyse les autres serrures. Mes pieds pleins de sloche tachent les banquettes et le plafond, mais l'épicerie ferme bientôt.

Le plus gênant, c'est aux commandes à l'auto des restaurants ; mes glaces ne s'abaissant pas, je dois sortir par la valise pour régler la note. Généralement, je renverse la liqueur.

17 : 25 L'auto démarre.

17 : 26 J'arrive à l'épicerie. Tout compte fait, j'aurais gagné quelques minutes en m'y rendant à pied.

17 : 27 Il y a une grosse chique verte et humide de collée dans le fond de mon carrosse.

17 : 28 Je change de chariot et cours avec mes espadrilles trois bananes dans l'allée des

viandes. Avec trois bananes, ça court bien plus vite qu'avec deux.

– Bonjour, monsieur le boucher. Je voudrais un kilo de steak haché maigre, s'il vous plaît, lis-je sur mon papier. (Le SVP n'était pas indiqué dans la recette, mais ça donne meilleur goût.)

– C'est plate, mais on a commencé à défaire le comptoir. On ferme à six heures ! Il nous reste juste du mi-maigre.

– C'est quoi la différence ? L'éleveur ? L'alimentation du bœuf ? Les kilomètres carrés qu'il avait pour gambader ?

– L'éleveur ? erre le boucher.

– Non : le bœuf !

– Qu'est-ce tu veux faire avec ton sreak haché ? demande le gros.

– Ma sauce à spaghetti à moi !

– Montre-moi ta recette... Ah ! C'est la recette de la maman Simort ! Ma femme la fait toujours avec du mi-maigre pis le résultat est mangeable. Avec du maigre ou du mi-maigre, le goût est toujours pareil ! En plus, le mi-maigre est moins cher.

– Va pour un kilo de mi-maigre ! accepté-je. De toute façon, c'est plus maigre ainsi !

– Hein ? rote le boucher.

C'est un boucher bouché, comme il y a des laitiers laids et des menuisiers amenuisés.

– Si mon steak haché est mi-maigre, c'est qu'il est la moitié de maigre. « Mi », mot invariable qui se joint à certains mots par un trait d'union pour signifier à moitié. Si je suis mi-content, c'est que je suis à moitié content. Pas content au complet. Alors mon steak haché mi-maigre est à mi-maigre. C'est donc moins gras que maigre, non ?

– Écoute ti-gars. J'ai un voisin mi-toyen, pis moé je l'préférerais toyen. Tu l'prends le steak haché ou tu l'prends pas ?

– D'accord, gulpe-je. Un kilo.

– Ça fait combien de livres un kilo ?

– Je l'sais pas. On m'a seulement enseigné le métrique, je réponds.

– Pis moé, seulement les livres, dit le jambon.

Tiens ? On lui a enseigné quelque chose !

17:38 Je m'élance vers l'allée des légumes.

17:38:07 La roue arrière gauche freine sans prévenir celle de droite. Mon chariot bifurque brusquement vers la gauche et je heurte le display de suppositoires en spécial et en équilibre qui prennent alors la fuite sous les étagères ou à d'autres endroits très difficiles à atteindre avec une main d'adulte.

17:46 Mon explication avec le gérant est terminée. Je repars à la marche rapide vers l'allée des légumes.

17:46:26 Je prends un petit sac en plastique pour y enfouir ma cueillette.

17:48 Je trouve l'ouverture parmi les quatre côtés du sac et y engouffre deux piments verts, un pied de céleri (pour cela, j'ai dû lui couper deux pouces en trop), une carotte, de l'ail, deux gros oignons et un quart de livre de champignons frais en vrac.

17:49 J'accroche au passage le commis des légumes que je peux reconnaître facilement.

– Ayoye, dit-il simplement.

– Excusez-moi. J'ai beaucoup de mal à diriger mon chariot. J'aurais une petite question...

– Fais ça vite, on farme.

– À part la langue maternelle, quelle est la différence entre l'oignon espagnol et l'oignon du Québec?

– Ça y est: on farme.

17:51 Je fonce dans l'allée des cannages utiles à la confection de ma sauce à moi, mais ne la trouve pas tout de suite.

17:54 Je traverse l'allée des biscuits. Je ne peux résister à deux paquets de biscuits feuilles d'érable (que j'avais ramassés!), à un aux pépites au chocolat et à un autre d'Oreo double-épaisseur super-absorbant quand on les laisse tremper dans son verre de lait.

17:57 Je trouve enfin ce que je cherche. Mon chariot reçoit deux cannes de 28 oz de tomates, une canne de 13 oz de pâte de tomates (même si la recette en prévoit deux de 6 oz, je n'aurai qu'à en ouvrir une seule: moins con que la Simort, non?), et deux tasses de jus de tomate.

— Monsieur! je demande poliment à un jeune emballeur errant pas très emballé.

— Quoi?

— Je dois acheter deux tasses de jus de tomate. Quel format me suggérez-vous?

— Prenez le format 1,26 litre. Z'en manquerez pas.

— Quelle marque?

— C'est pour faire quoi?

— Ma sauce à spaghetti à moi.

— Montrez-moi votre recette... Ah, c'est la recette de maman Simort. Ben avec notre marque maison, ça va goûter la même affaire pis c'est moins cher.

17:58 Je m'élance vers les caisses. La roue arrière gauche du chariot de la dame qui me précède bloque. Mes quatre roues de plus en plus rétablies depuis l'incident des suppositoires, je ne peux freiner à temps et mon chariot heurte de plein fouet (chelaque! fit-il) celui de la dame. Nos carrosses basculent et toute ma cargaison s'écrase entre ses fesses.

17:58:01

— Tu peux pas faire attention! Maudit pouilleux!

— Désolé.

— Pis fais pas semblant d'avoir les ch'veux courts! Je l'sais qu'tu dois prendre d'la drogue!

J'enfile des gants à vaisselle de caoutchouc (les gants, pas la vaisselle) et extirpe mon 1,26 litre de jus de tomates de la dame puis refonce vers les caisses.

17 : 59 J'y suis.

— Ça marche pas d'même, jeune homme, meugle la vache caissière.

— Quoi ? je réponds à la torche.

— Tu peux pas mettre des légumes différents dans le même sac. C'est pas le même code. Ma balance peut pas tout compter avec des prix différents. C'est une machine que j'ai, pis une machine, ça a pas de z'yeux.

Heureusement, sinon on demanderait peut-être aux caissières d'épicerie de maquiller leur machine.

— Si j'avais pris un sac différent pour chaque légume, je serais encore ici demain !

17 : 59 : 19 La caissière soupire.

17 : 59 : 54 Elle termine de gémir et sépare mes légumes par couleurs.

18 : 00 : 00 Elle cesse tout.

— Quoi ? Qu'est-ce qui se passe ? je demande.

— Y est six heures.

Vaut mieux aller droit à la tête :

— Monsieur le gérant !

— Ah ! Le jeune homme aux suppositoires ! m'envoie-t-il très fort en guise de bonjour.

— Rebonjour. Heu, votre caissière refuse de passer ma commande prétextant l'heure qu'il est. Ça vous plairait, à vous, si vous étiez client ?

– Y est six heures. C'te grosse-là est syndiquée! On est pognés avec, nous autres aussi.

– C'est scandaleux de me traiter ainsi! me scandalise-je. Moi, un vétéran de l'alimentation! Plusieurs fois blessé! J'en porte encore les séquelles! J'attends des décorations et que reçois-je? Un manque flagrant de respect et de service de la part d'une employée de votre entreprise!

– Vous êtes un grand blessé de l'alimentation? demande le gérant, curieux et sceptique à la fois.

– Bien sûr! Vous voulez que je vous raconte mon histoire?

– Oui, oui! hurlent les employés recrus en mal d'anecdotes macabres où le sang coule à flot.

– Oui, oui! hurlent les employés plus âgés qui ont du mal à croire qu'un ancien employé d'épicerie puisse avoir quelque chose d'intéressant à raconter.

– Pour que vous compreniez bien l'histoire de mon accident, j'aborderai aussi l'histoire de ma vie, commence-je.

S'attroupent autour de moi emballeurs, caissières et boss de toutes sortes. Suivront peut-être des lapins en sautillant et des geais bleus se posant sur mon épaule.

– Ce qui peut survenir demain, je n'en sais point rien. Ce qui est arrivé hier, cela me hante. Au début de mon histoire, donc, je nais.

– Oh! Ça commence bien! s'émeut une jeune caissière que les fausses couches à répétition ont traumatisée, surtout lorsque cela survient lors des maigres quinze minutes de pause-café dont elle dispose, ruinant ainsi sa journée et sa conversation.

– Ce n'est qu'après ma naissance que les problèmes ont véritablement débuté.

– Une grossesse normale, pour ainsi dire! souligne le gérant en jetant un coup d'œil sarcastique à l'endroit de la panière percée qui coûtait une fortune en maintenance à l'entreprise.

– Un jour où un ballon m'échappe parce que lancé beaucoup trop fort, je traverse la rue sans regarder des deux côtés. Mes fonctions motrices de droitier, toutes fraîches et jeunes, n'avaient pas encore assimilé la gauche. Un véhicule de livraison de pièces de voiture, transportant des freins usagés prêts à être réusinés, m'enseigna ma gauche. Car, comme disait mon grand-père...

– Lequel? demande un employé.

– Le colérique, celui qui a perdu ses deux jambes en coupant du bois avec une scie mécanique. Comme disait mon grand-père, donc, on apprend de ses erreurs; le mieux c'est de ne jamais les répéter plus que deux fois. À cinq ans, nouveau drame: ma mère...

– Laquelle? demande le même employé.

– La mienne. Ma mère, dis-je, meurt des suites d'une tuberculose, une maladie que je croyais uniquement destinée aux pommes de terre et à faire peur aux enfants qui fouillent dans une vieille poche de patates. La tuberculose m'enlève la seule mère qui m'avait été offerte. Mon père en souffrit beaucoup. À force de nous battre pour se calmer un peu et faire du monde de nous, ma sœur et moi, il fit du surmenage. Un soir qu'il me punissait avec vigueur parce que j'avais passé bien près de renverser mon verre de lait, un infarctus l'emporta. Sans mère, sans père et sans prime d'assurance-vie dont il n'avait jamais cru bon de se munir, qu'allions nous devenir?

— Jusqu'à maintenant, vous feriez un hit à la télévision. Avez-vous pensé écrire un téléroman qui raconterait votre vie? demande une employée. Ça pourrait s'appeler Drame Humain, Ouille! Quelle douleur! ou quelque chose comme ça.

— Et si, en plus, vous pouviez transposer votre histoire et en faire une série d'époque, ce serait un méga hit! Après, vous pourriez écrire le livre du film, un film du livre et un livre du film du livre du film! propose une autre.

— Bonne idée... De douze à seize ans, je mendiai sans relâche. Ce fut très humiliant et il est fort déplorable qu'on me demande de me rappeler cette époque.

— Passez par-dessus! offre un employé généreux.

– Non. Je mendiai et le fis en pensant à ma petite sœur qui avait toujours faim à l'heure des repas. En passant, je dois souligner que ma sœur, à l'âge de deux ans, a cru bon de goûter à l'eau de javel qui traînait sous l'évier. Elle l'a regretté amèrement. Ses cordes vocales et son œsophage aussi. Depuis cette aventure, elle n'arrive plus à prononcer les *b*, les *h* et les trémas.

– Alors elle est incapable de prononcer «hautboïste»? s'inquiète un employé juif féru de musique classique.

– Non. Elle dit «autoiste»!

– Et «haïssable»? s'intéresse un autre.

– Aissale!

– Et «haïtiennable»? s'enquiert une immigrée.

– Aitiennale.

– Et comment parvient-elle à dire «Noël»? demande un dernier.

– Noel. Bon, ça suffit. Aujourd'hui, ma sœurette étudie la chimie et la composition des trucs machins...

– Elle doit avoir beaucoup de mal à dire le mot «chlore»? s'inquiète le fatiquant des «lequel» et du «Noël» de tout à l'heure.

– Faites-le taire!... Son rêve est de découvrir le moyen de rendre l'eau de javel comestible. Quoique, comme je lui répète souvent, si l'eau de javel commençait à être appétissante, les enfants en voudraient avec leurs céréales!

– Et comme les enfants ne pourront pro-noncer flocons de « maïs »... ajoute un autre.

– Je peux poursuivre ?... Merci. Pour arriver aux fins de mois, on se privait du flu et du superflu. De 12 à 16 ans, il n'y avait pas une nuit où je ne manquais pas de me noyer dans mon oreiller...

– C'est une belle image ! dit une employée qui mouchait son nez plein de tristesse en émettant un joli taratata.

– Le comble du malheur, c'est que mon oreiller mouillé me causait des otites. En plus des otites, je devais lutter contre le scorbut, la grippe intestinale et un propriétaire qui ne voulait plus de nous dans son garage parmi ses pots de peinture et ses vieux outils rouillés.

– Vous auriez pu attraper le tétanos ! angoisse une employée.

– Nous l'avons eu trois fois. À 16 ans, la pluie allait cesser de tomber dans ma sombre et pluvieuse vie : je suis embauché dans un marché d'alimentation ! Avant de passer l'en-trevue, j'ai passé une semaine à manger chez ma grand-mère pour avoir l'air en forme. Je lui promis de lui rembourser cela. Dieu garde son âme.

Une semaine de patates blanches, brunes ou jaune-orange eut un effet bénéfique sur ma frêle personne : je suis embauché sur-le-champ. Enfin, ma sœur et moi allions pouvoir commencer à mettre de la margarine sur notre pain sec ou vert, selon l'humidité du garage.

J'ai œuvré cinq ans pour la même compagnie. Tout allait bien jusqu'au malheureux 9 juillet de l'an de grâce 1989. Lorsque j'ai commencé à travailler dans ce magasin, j'étais crisseux de cannes. Après quelques années, je fus promu commis B. La différence entre les deux jobs est très importante et peu subtile : au lieu de foutre des cannes dans des sacs, je foutais des cannes sur les tablettes...

— C'est passionnant ! me coupe l'employée Charrette.

— Ce job est très éprouvant physiquement, mais comme le disait n'importe qui, le temps passe plus vite à travailler. C'est donc enjoué et dans une forme splendide que j'arrive à mon travail ce jeudi 9 juillet, jour du drame et de la paie. Il est midi trente et je souris en me considérant chanceux d'avoir un si bel emploi. Il y a tant de gens qui m'envient, pensé-je. Alléluia. Il est dorénavant midi trente et une. Je pointe. Je pointais toujours une ou deux minutes en retard, mais je repartais toujours une ou deux minutes plus tard que l'heure prévue. Mon employeur était fier de mon rendement et très sympathique. Avec lui, tout passait par la bonne entente et la bonne humeur. Il n'hésitait pas à vous interrompre pour vous raconter la dernière blague cochonne qu'il avait entendue, le tout agrémenté de tendres « calvaire de crisse » et de « j'vas dire comme c'te gars ! ».

— Méchant bon boss que t'avais là ! dit un jeune emballeur.

— Moi aussi j'en connais des blagues de cul ! lui rétorque le gérant. Mais la dernière employée à qui j'en ai conté une m'a poursuivi pour harcèlement sexuel. C'était l'histoire d'un gars qui va voir une prostituée pour se faire faire une...

— Bien... Midi trente-deux. Environ. Je m'enquiers du travail à faire. On me répond : comme d'habitude. Je m'active donc. Tout d'abord, je dois remplir le comptoir de lait. Selon ma sœur, un litre de lait pèse environ deux livres ou neuf cent sept grammes. Une caisse contient toujours seize formats d'un litre. Une caisse de formats deux litres en contient neuf et une caisse de formats quatre litres en contient quatre. Toujours selon ma sœur, il n'y aurait aucune différence de poids entre le lait homogénéisé et le lait deux pour cent. Je la crois. Je croyais aussi mon boss qui prétendait que le lait écrémé est moins lourd.

Pour remplir un comptoir de lait vidé par les clients, c'est très simple : on dépose tout d'abord la caisse par terre puis, un à un ou deux par deux, selon le format, on sort les contenants de la caisse et on les dépose dans le frigidaire situé, dans mon cas, à un pied et demi du sol. Là où le bât blessait, c'est que je devais m'accroupir pour atteindre le fond du frigidaire. Pendant environ quarante-cinq minutes, je m'accroupis et me désaccroupis à au moins trois cents reprises.

Une fois ce travail effectué, je suis allé placer du pain.

— Ça sent bon du pain, hein? souligne un employé.

— Encore une fois, je dois m'accroupir pour prendre le pain dans le bas du rack et me désaccroupir pour le mettre sur la tablette du haut ou vice-versa. Il faut noter que quatre cent cinquante grammes de pain blanc pèsent autant que quatre cent cinquante grammes de pain brun. On croirait pas puisque le pain brun est tellement plus nourrissant...

— C'est vrai! Quand on y pense, c'est pas mal étrange! confirme un employé.

— Ce boulot, ces accroupissements, je le faisais chaque jour depuis quelques mois. Pourtant, ce jour-là, des douleurs ont commencé à se manifester au pied droit...

— Encore votre problème avec la droite! remarque avec à-propos un employé. Ça tient de votre enfance et vraisemblablement de votre manque d'influences psychosexuelles, car vous étiez orphelin. C'est donc freudien!

— Au fait, jeune homme, comment votre sœur prononcerait-elle «orphelin»?

— Orpelin.

— Elle devrait être comédienne ! Elle serait très drôle.

— Moi aussi je l'imagine bien en train de raconter une onne lague ! s'amuse un autre rigolo.

— Oui, bon. Revenons à mon bobo.

— À votre o-o ! rigole le même fatiquant !

— Tais-toi, Tétreault ! lui ordonne le gérant.

— Au début innocente, cette douleur est allée en s'accentuant. Je m'arrêtai parfois de travailler pour me masser le pied droit, malgré l'odeur que dégage un pied qui travaille fort. Un collègue qui avait suivi le cours de sécurité au travail me dit le plus sérieusement du monde que mon pied n'était pas cassé. Si c'est pour dire de telles sottises qu'il a été payé trois jours à regarder des films marrants d'accidents de travail, d'emballeuses automatiques qui s'emballent sur de feus employés de la compagnie, et de camions de livraison qui prennent un malin plaisir à reculer sur les gens, je peux m'improviser ambulancier ! Bien sûr, je n'avais pas le pied cassé. J'ose espérer que je m'en serais rendu compte.

— Qu'est-ce que vous aviez ? demande une caissière. Mon mari m'attend dehors dans l'char...

— Attendez. J'y arrive. J'ai enduré l'endurable. Et l'endurable, pour un homme, c'est beaucoup. Vous devez le savoir madame : un homme, ça souffre toujours plus !

— C'est bien vrai. Il peut attendre encore queuques minutes.

Il était 15:45. Environ. Je juge préférable, même souhaitable de me rendre à l'hôpital avant de tomber dans les pommes et de défaire le bel étalage de mon confrère des fruits et légumes. Si je m'étais évanoui, j'aurais pu me fracasser le crâne contre le terrazzo, me rompre l'occipital, devenir dystrophique pour la vie et coûter ainsi une fortune aux contribuables et à la compagnie, provoquant une hausse des prix des denrées alimentaires.

Rejoindre ma voiture fut infernal. Je ne pouvais mettre de poids sur mon pied droit. De plus, la chaleur de cette humide journée me faisait presque tourner de l'œil. J'ai vraiment cru que j'allais y rester et sécher dans le stationnement comme une mouette écrasée. Même si la distance entre le marché d'alimentation et l'hôpital est plus courte en pieds qu'en années, il ne fut guère facile de m'y rendre. Comme tout le monde, je suis droitier pour piedpuler les pédales de ma voiture. Les réflexes de mon pied droit devenus inutilisables, je me suis donc servi du gauche, mettant ainsi en péril la vie des automobilistes que je croisais et de ma bagnole.

Mon cauchemar n'allait surtout pas s'arrêter là. Parvenu au stationnement de l'hôpital, il n'y avait aucune place près de l'entrée. Les employés de l'hôpital, en pleine forme, préfèrent faire marcher les malades, croyant que de cette façon, ils prendront du mieux avant d'entrer. Tout de même, j'ai stationné mon auto aussi près que j'ai pu en prenant bien soin de ne pas trop grafigner la voiture à côté de la mienne. Après deux essais, je choisis d'aller me stationner ailleurs avant qu'on me dénonce au propriétaire de la jolie voiture que j'abîmai bien involontairement.

— Vous souvenez-vous de la marque de voitures? demande un employé boutonneux.

— Non. Pourquoi?

— J'aime ça parler de chars!

— À 16 : 00, je ne me sens pas très bien. Je vois de grands points noirs dans mon pare-brise et sur mon corps. Heureusement, entre eux, j'aperçois des infirmiers et des infirmières qui quittent leur travail. Je sors donc de ma voiture et commence à me diriger vers l'entrée en évitant les points noirs et en espérant que ces êtres charitables me donneront un coup de main. S'ils avaient pu, c'est plutôt un coup de pied au cul qu'ils m'auraient administré. Malgré ma posture précaire à trois pattes – la quatrième étant dans les airs – aucun d'eux n'a jugé bon de me prêter main-forte.

Arrivé tant bien que mal, surtout mal, à l'intérieur, je me rends tout de go à l'urgence urgente. À la couleur que j'avais ou aux couleurs que je n'avais plus, la garde de service a jugé que mon cas était pressant. Elle me fait étendre dans une salle d'observation ou quelque chose comme ça. Il me fallait maintenant attendre. Face à moi, et lui face au mur, dormait un homme sans gêne qui me montrait son postérieur. Heureusement pour moi, l'horloge était au-dessus de lui et c'est sur cela que je jetai mon attention. À ma gauche, derrière un rideau, un homme racontait comment il s'était probablement brisé la colonne vertébrale, et sa femme le rassurait en lui promettant qu'elle terminerait elle-même de peinturer le garage à sa place. Lorsque le docteur arriva, l'homme se mit à hurler, probablement parce qu'il n'avait jusque-là pas encore trouvé en son épouse une oreille attentive à ses plaintes. Moi, j'ai ma fierté et j'étais célibataire. C'est pourquoi j'ai plutôt choisi de perdre conscience au lieu d'embarrasser qui que ce soit.

Une infirmière me ramena à moi en me déposant une serviette d'eau froide sur le front. J'ai alors pris la serviette et l'ai déposée sur mon pied, car, après tout, c'est là que j'avais mal. La douleur était désormais permanente et montait sournoisement, comme une marée, jusqu'au genou. Avant de délirer, je me suis laissé hypnotiser par l'horloge. Après quelques minutes, je pouvais voir bouger les aiguilles. La grande et la petite. Pendant un moment, je me suis cru Jell-O aux abricots dans une coupe individuelle, c'est tellement meilleur. Après une heure et quelques grenailles...

— Excusez-moi, m'interrompt un employé.

— Qu'y a-t-il ? je lui demande.

— Je m'immisce un bref instant afin de rythmer un peu votre monologue et nous faire souffler un peu.

— Merci. C'est gentil.

— Je peux aussi ? demande un autre.

— D'accord, mais après, on continue.

— Voilà ! s'exclame l'employé, satisfait.

— Et moi ? demande une autre. Je danse très bien à claquettes ! Ce pourrait être un intermède amusant, non ? Généralement, les gens apprécient les numéros de claquettes. C'est léger...

— Vous danserez une autre fois... Bien. Après une heure et des grenailles, le toubib arrive à mon chevet. J'ai oublié son nom. Il a tâté mon pied sans prendre soin de savoir si c'était douloureux ou non. Je suais et grelottais. Le docteur me conseilla donc de me rendre aux rayons X, qu'il y ferait plus chaud. Je dus me dévêtir devant une infirmière afin de revêtir une jaquette.

Usant de mes plus beaux sourires, la séance photographique s'est très bien passée. On aura beau dire, les rayons X, ça ne fait pas mal. Bien sûr, mon pied n'aurait pas pu faire tourner un ballon de basket sur mon doigt, mais la photographe était très douce avec lui. Je n'étais pas peigné, mais ça ne paraîtrait pas sur les portraits. On m'a remis les clichés et je suis retourné tout croche à ma chambre. Je ne maîtrisais pas la chaise roulante et quand j'ai accroché la patère à sérum d'un vieil homme, j'ai eu droit à des injures. Heureusement, ses héritiers m'ont pardonné depuis.

Une autre heure passe. Encore une fois, le docteur me sort de mes songes. Il hésitait entre une psittacose, l'ostéoporose ou le chiendent. Finalement, aucun de ces maux ne correspondait aux photos X. Sans prévenir ni user de l'usuel «j'ai une bonne pis une mauvaise nouvelle», le docteur m'apprend ce que tous craignent d'avoir un jour : une tendinite des dorsifléchisseurs !

– Ooooooooooooooooooooh ! s'exclame la foule.

– Vous étiez gravement atteint de dorsifléchisseur ? angoisse une employée.

– Vos tendinites sont décidément très fragiles ! convient un autre.

– On naît avec les tendinites que l'on a ! philosophe le gérant.

Le docteur m'a prescrit de la codéine et des anti-inflammatoires. Avant de le quitter, il m'a dit de surveiller mon alimentation, car il avait vu des vices dans mon estomac grâce aux rayons X. Ce sont en réalité des vis ou autres morceaux de métal qui traînent toujours dans le sac blindé qui me sert de fourre-tout. En 82, j'avais lu qu'un type avait avalé une bicyclette. Ma sœur et moi, qui avions faim, avions entrepris de manger un vieux moulin à gazon. L'expérience me porte à croire que le métal est long à digérer. C'est très embarrassant de savoir qu'on vous a vu l'intérieur, surtout quand ça ressemble à une quincaillerie.

Je me suis rendu chez moi en répandant un peu de peinture rosse çà et là sur les voitures garées trop loin du trottoir. Chez moi, je me suis commandé une pizza pour avoir de quoi faire passer les vis que je croyais bien disparues. Mais l'appétit n'était plus au rendez-vous quand la pizza sonna à ma porte. Je n'ai pas exigé de remboursement à la CSST.

Ma sœur est arrivée vers 19 h 30. Avec sa gentillesse légendaire, elle est allée me chercher ma prescription et deux béquilles. Par bonheur, la codéine a fait effet : la douleur m'a quitté et les bras de Morphée m'ont kidnappé.

Le samedi suivant, parvenant à me déplacer sans trop de mal et avec des béquilles, je me suis rendu chez mon employeur. Là, complètement groggy par les médicaments, j'ai rempli au meilleur de mes connaissances les multiples formulaires carbonés de la compagnie. C'est pas marrant, les formulaires !

– C'est bien vrai ! souligne un employé.

– Pourtant, il faut les remplir ! rétorque l'employeur. Sinon, ce serait l'anarchie !

– Qu'est-ce que ça veut dire « groggy », monsieur ? me demande une caissière.

Je me suis drogué jusqu'à épuisement des stocks. Ça m'aidait à survivre. Mentalement, toutefois, ça n'allait pas du tout. Je disais plein d'incongruités genre «je veux regarder la télévision». À un certain moment, j'ai même vu mon buste en plâtre d'Elvis bouger et me chanter *1'll Remember You* en canon. Il était donc temps que je reprenne du mieux.

— Aujourd'hui, vous semblez en bonne santé, heureusement, dit une caissière en mopant les litres de larmes qu'elle avait versées sur le plancher.

— Moi, j'm'en vais! Mon mari m'attend dans l'char! dit une autre, à la sauvette.

— Jeune homme, dit le gérant en déposant sa main sur mon épaule, vous êtes un saint martyr! Louisette, acceptez-vous de faire cinq minutes de plus pour calculer la commande de monsieur?

— Bien sûr! répond-t-elle.

18:32 Je sors enfin de l'épicerie en compagnie du gérant qui traîne une bouilloire remplie d'eau bien chaude.

18:33 Il verse avec soin l'eau chaude sur la serrure de ma portière de voiture, un petit coup entre le caoutchouc et la glace pour que l'eau rejoigne le mécanisme frileux.

18:33:45 Ma portière s'ouvre et c'est génial. Je retourne dans l'épicerie chercher ma commande que l'épicier insiste pour transporter lui-même.

— Merci beaucoup, monsieur. C'est très gentil. Mais vous savez, j'aurais au moins pu payer ma commande !

— Si t'as besoin d'un job, viens m'voir. Les portes de mon commerce te sont toutes grandes ouvertes ! J'ai déjà connu des pauvres. Aujourd'hui, ils sont morts et j'trouve ça ben triste.

18:36 Ma portière ne clenche plus. Le mécanisme doit probablement ressembler à une statue de glace du carnaval. Je ne lui en veux pas et songe plutôt à m'en servir un jour pour gagner un concours.

18:57 Ma voiture démarre. Je file vers mon domicile. D'une main, je retiens la portière, d'une autre je tiens le volant, d'une autre je change les vitesses, et d'une dernière je tiens une cigarette. Si je croise une connaissance, je ne lui ferai qu'un bref signe de tête.

18:58 J'arrive chez moi. Il y a des messages sur le répondeur. Peut-être Julie ?

— Biiip ! François, c'est maman. J'ai trouvé une autre recette dans un vieux *Décormag*. C'est une sauce épicée aux huîtres et aux calmars. J'sais que t'aimes pas les huîtres ni les calmars, mais t'as juste à pas en mettre dans ta sauce. Si ça t'intéresse, rappelle-moi.

— Biiip ! François, c'est encore moi. J'ai oublié de te dire de faire attention avec les couteaux quand tu vas hacher les légumes. En tout cas, si tu perds un doigt, viens pas dire que je t'avais pas prévenu. Mais si t'as vraiment pas le choix et que tu dois perdre un doigt, choisis donc l'index et mets-le de côté! Hi, hi, hi.

— Biiip! Rosaire? C'est Sylvio. T'as changé ta voix, mais j't'ai reconnu. Rappelle-moé chez nous.

— Biiip! François, j'viens d'expliquer la blague de l'index à ton père et il te fait dire qu'il la trouve très drôle.

— Biiip! François, si tu t'coupes, le mieux c'est encore de lever ta main dans les airs pis de régulariser ta respiration. Après, prends un bon bain chaud. Ça ira mieux.

— Biiip! François... Sois prudent... Bon, là j'te dérangerai pus: mes beaux programmes commencent. Bye!

19:00 Je me débouche une bière, me remplis la bouche d'Oreo et vide mes sacs d'épicerie. Par quoi commencer? «Faire revenir la viande dans l'huile.» Qu'est-ce que ça peut bien vouloir dire?

— Toc! fait deux fois une main droite sur ma porte.

— Ça s'ra pas long! je hurle de la cuisine.

J'espère Julie, mais me contenterais bien d'un télégramme chanté ou d'un vendeur de sauce à spaghetti personnalisée.

— Ah. Bonjour madame Cordeau, dis-je en ouvrant à la dame.

J'ai ce genre de porte toujours verrouillée. À l'abri des voleurs que ma gerboise ne suffirait pas à effrayer.

Elle entre. Quatre pieds et demi, quatre-vingts livres. Sans ride, elle a peut-être pu atteindre le cent. Avant, elle avait les cheveux dorés. Qu'elle dit. C'est dur à croire, elle qui a dorénavant les cheveux blancs et bleus. C'est ma voisine de palier. Une amie palliative.

— T'as sûrement pas encore mangé, devine-t-elle. J'viens de t'entendre arriver.

— Non. Mais je m'apprêtais à me faire une sauce à spaghetti.

Elle rit. Un rire mignon et délicat... en d'autres circonstances.

— Tu mangeras pas avant minuit! dit-elle. Il faut que tu laisses ça mijoter de trois à quatre heures!

— Je l'sais pas. J'suis pas encore rendu là. J'viens juste de vider mes sacs d'épicerie. J'allais commencer.

— Bouge pas. Je r'viens avec un p'tit quelque chose à te mettre sous la dent!

— En passant, pourriez-vous me prêter une poêlonne? Il faut que je fasse revenir de la viande dans l'huile.

— Pour ta sauce? J'vais plutôt t'apporter mon gros chaudron à sauce à spaghetti.

— Et de l'huile, s'il vous plaît.

19:03 En l'attendant, je décide de commencer à couper les légumes. Pour prendre de l'avance. «4 gousses d'ail émincées» J'en arrache quatre de la tresse et entreprends de les couper en mille miettes avec mon brave couteau suisse.

Je les émiette si petites que je devrai peut-être me servir de la loupe greffée à mon couteau pour les ramasser. Il n'en reste que l'odeur. De toute façon, c'est tout ce dont on se souviendra.

19:10 Je m'apprête à émincer les deux gros oignons quand revient madame Cordeau avec son matériel de cuisson.

– C'est quoi ça? je demande en voyant l'assiette pleine de quelque chose qu'elle me présente.

– Des gnocchis. Ça s'mange tout seul! Sens-moi ça... Ça sent l'Italien. Ça ressemble à des bulles, mais personne ne sait ce que goûtent les bulles.

– C'est des pâtes aux patates dans une sauce à spaghetti, explique-t-elle. Mange!

– Voulez-vous un café?

Elle n'en boit jamais, mais c'est très poli d'offrir du café.

– Non. J'vais plutôt me faire un thé.

Je le sais: elle ne boit que du thé. C'est pour elle que j'en ai acheté.

Ses machins sont délicieux. Comme tout ce qu'elle prépare. Sa mort aussi sera délicieuse: elle la prépare depuis quinze ans. Ce sera sa recette: elle mourra épicée, ça fondra dans la bouche, envahira ses papilles, pénétrera son système sanguin et elle se retrouvera aussitôt au paradis. Elle crèvera lorsqu'elle le décidera. Une femme dotée d'une telle force de caractère, ça ne subit aucun ordre. Elle ne sera pas appelée par le Bon Dieu : elle lui téléphonera à frais virés.

– Veux-tu que j't'aide ?... Pour ta sauce...

– C'est gentil, madame Cordeau. Mais je veux que cette sauce soit mon entière création. Je veux recevoir ma Julie avec ma sauce pour qu'elle constate que quand je veux, je peux aussi.

– Tu penses encore à ta Julie, hein ?

– Oui.

– Si t'es comme moi, t'as pas fini. Mon mari est décédé en 77 pis je l'ai pas encore oublié.

– Madame Cordeau. S'il vous plaît...

Nos situations sont incomparables.

– J'peux comprendre ta situation, mais ça changera pas le goût de ta sauce si j'te coupe quelques légumes... Qu'est-ce que c'est qu'ça ? demande-t-elle en pointant la poubelle en plastique de ma salle de bain au beau milieu de la table.

– J'avais pas de plat assez grand pour mettre tous mes légumes, même une fois émincés. Inquiétez-vous pas, je l'ai lavée avant de m'en servir.

Elle jette un regard à l'intérieur.

– Qu'est-ce que c'est ?

– De l'ail émincé, je réponds la bouche pleine de gnocchis qu'on ne sait pas trop si l'on doit dire « gnochis » ou « gnokis ». Je devrais téléphoner à ma sœur, elle a vu tous les *Parrain* huit fois et n'hésiterait pas entre «Pachino» ou «Pakino» s'il la demandait en mariage.

— T'as raison, François. J'me mêlerai pas de ta sauce. Cette sauce-là sera la tienne. Tu pourrais lui donner ton nom?

— Pourquoi pas?

— Et la lancer sur le marché! lance-t-elle. Ça pourrait s'appeler Jus de Poubelle!

Je sens un certain scepticisme chez ma voisine.

19:20 J'ai terminé les gnocchis et j'entre-prends la première étape: faire revenir mon steak haché mi-maigre dans l'huile d'arachide, gracieuseté de madame Cordeau.

— T'es mieux d'attendre d'avoir fini de couper tes légumes avant de faire revenir ta viande, propose ma vieille amie.

Pas bête. Alors j'attaque les oignons.

— T'as juste un canif? s'étonne madame Cordeau.

— Non. C'est pas un vulgaire canif: c'est un couteau suisse. Voyez, j'ai une grande lame, une moyenne, une plus petite, une cuillère, une cuillère à soupe, une cuillère à salade en bois, une fourchette, une fourchette pour les entrées, un débouche-bouteille, un miroir, une loupe, un cure-dent, des ciseaux, un petit tournevis étoile à quatre pointes, un petit tournevis étoile à six pointes, une tête carrée, une tête plate, un mini-marteau pour taper sur des petits clous, un frêle pied-de-biche, une hache pour fendiller des branchettes, une scie, un sac à poubelle, un grattoir à pare-brise, un thermos plein de café bien chaud, une lampe de poche, un jeu de cartes avec des femmes toutes nues, six pieds de corde, *La Valeur du sable* relié en or, une statue de Jacques Cartier à visiter quand je m'ennuie, le dernier album d'Alain Morésot pour m'amuser sur la plage, une photocopieuse au laser, un piano demi-queue, deux laines d'acier pour mettre sur les oreilles de lapin de ma télévision, ma télévision, seize rouleaux de cennes noires, une souffleuse à neige électrique, cent pieds de fil, une carte topographique des Laurentides, un arc, une offre d'emploi, un casse-tête trois mille pièces, trois Kleenex, une montre, un échantillon de tapis, des émotions fortes hautes en couleur, des lacets de secours, des feux de détresse, un concasseur à ciment, une cassette vidéo de cent vingt minutes des meilleurs moments du dernier spectacle de Pierre Régalé, des feux de Bengale, un repas déshydraté pour deux, des chandelles, un violoniste, son épouse et une rose! Bref, c'est super pratique en cas de n'importe quoi.

— Ça semble pas facile à manier, suppose-t-elle.

— On s'habitue, pleure-je.

— Bon! dit-elle en se levant de table, je te laisse à tes oignons. Si t'as besoin d'aide, gêne-toi pas.

– Merci... Pis merci pour les gnotchis!

19:25 Pour oublier les oignons, je me débouche une autre bière. « 1 petit piment vert coupé en dés » Quelle grosseur, les dés?

– Allô? répond ma mère.

– Maman, quand ils disent «couper en dés», c'est quelle grosseur de dé qui est préférable?

– Ça dépend. D'habitude, j'les fais en deux millimètres par trois. C'est pas un vrai dé, c'est plutôt un dé étiré sur la longueur ou sur la hauteur si tu le mets à la verticale. Ton père aime pas ça trop gros sinon ça pogne dans son partiel.

– Merci.

– Rappelle pas aux cinq minutes! À télévision, Marylin était sur le point de trouver une grosse batch de poussière!

Pour faire original, jamais vu et ainsi personnaliser davantage ma sauce, je coupe mes dés un millimètre sur deux.

19:55 « 1/2 tasse de céleri coupé en dés » Comment mesurer une demi-tasse sans passer le céleri à la moulinette?

Malheureusement, il n'y a pas de tasse à mesurer dans mon couteau suisse. Une tasse à mesurer, ça ressemble sûrement à ma tasse à café Dunkin Donuts en plastique.

19:56 Dans ma voiture, je retire ma tasse de son socle anti-renversant. C'est bien pratique lorsqu'on fait de la longue route au Québec. Même si je dérape ou capote, j'aurai toujours du bon café à portée de la main pour me consoler. Consolant, surtout lorsqu'on constate qu'on sera à jamais paraplégique ou endetté.

19 : 57 Mes clés sont dans les poches de mon manteau, mon manteau dans la penderie, la penderie dans mon logement et mon logement bien verrouillé. Par le fer forgé, je grimpe jusqu'à ma galerie. Mes mains moites collent au métal. Je ne bronche pas. Parvenu au troisième étage, je peux entrer dans mon logement puisque je ne verrouille jamais cette porte, que je jugeais jusqu'à maintenant isolée et inaccessible. Une fois à l'intérieur, je décide de la barrer. C'est plus prudent : on pourrait tenter de voler ma quincaillerie suisse.

20 : 26 Je termine de mutiler le céleri. « 1/4 de livre de champignons frais tranchés » Voilà autre chose. Je tranche donc ma livre de beurre en quatre. J'en prends un morceau et le dépose sur un vieil album de Beau Dommage qui me sert aussi parfois de sous-plat et qui reposera en équilibre sur le goulot de ma bière sitôt qu'un quart de livre de champignons frais sera déposé à l'autre extrémité du microsillon. La débrouillardise est l'une de mes qualités préférées. Pas de balance ? Allez hop ! Barbatruc !

20 : 27 Je ramasse les champignons éparpillés sous la table et décide d'y aller à l'œil. Je choisis le droit puisque mon oculiste a constaté une faiblesse dans celui de gauche.

20:44 Des trucs dégueulasses se retrouvent sur les champignons. J'aurais dû les laver avant de les trancher très, très minces.

21:02 La toilette des minces lamelles de champignons terminée, le plus gros du boulot est fait.

21:03 Autre bière et un peu d'eau fraîche sur le visage. Pour m'encourager, je me dis : « J'ai une bonne et une mauvaise nouvelle pour toi ! » Je choisis la bonne. Ça m'aide un peu. Mon frère et son épouse seraient fiers de me voir si positif.

21:04 Faire revenir la viande dans l'huile aux arachides de madame Cordeau. Je dépose donc la viande et l'huile dans le gros chaudron. Ça ne revient pas vite.

21:15 C'est, je crois, revenu. « Ajouter l'ail et les légumes » Je vide la poubelle de la salle de bain dans le chaudron.

« Mêler puis ajouter les autres ingrédients » On parle probablement des conserves : la canne de 13 onces de concentré de tomates, deux cannes de 28 onces de tomates et 1,26 litre de jus de tomate.

21:16 Ça continue de revenir. Mon détecteur de fumée me signale l'excellent état de sa pile, que je choisis de retirer pour ne pas déranger tout l'immeuble. Les autres locataires sont très susceptibles : ils s'excitent chaque fois que je pratique mon tir du poignet à la Lanny McDonald sur ma cible du salon ou que je drible en évitant les chaises de la cuisine avant de lancer au panier de basket placé sous le crucifix (obligatoire selon les dix commandements de mon bail).

21:17 J'entreprends d'ouvrir les cannages avec le petit marteau de mon couteau suisse. Il est bien frêle pour ce genre d'emploi et je m'étonne que les Suisses, dans leur grande sagesse helvétique, aient omis d'ajouter un ouvre-boîte à mon magnifique couteau. Je sors donc chercher le gros tournevis qui est dans le coffre de ma voiture et qui est fort utile pour bloquer l'entrée d'essence certains matins humides et frais.

21:18 J'ai oublié mes clés dans les poches de mon manteau, mon manteau, etc. Je regrimpe par le fer forgé, fracasse un peu la vitre de la porte que je laisserai désormais déverrouillée lorsque je cuisine. J'agrippe mes clés et ressors.

21:23 La serrure du coffre de ma voiture résiste à ma clé. Damné hiver. J'entre dans la voiture grâce à ma portière ouverte en permanence depuis aujourd'hui, arrache la banquette arrière et attrape mon tournevis.

21:26 J'enlève un peu de cambouis de sur le tournevis et frappe avec vigueur les conserves qui finiront bien par céder.

21:27 Les bruits qu'émet mon tournevis en frappant la conserve ne concordent plus avec ce que ma vue me signalerait comme normal. C'est donc qu'on frappe en même temps à ma porte.

– C'est vous, madame Cordeau ? je hurle de la cuisine.

– As-tu fini de cogner du marteau ? rage un homme.

C'est la voix très masculine de mon voisin du palier inférieur. Un homme émotif, sensible et expressif.

– Mon lustre est apra s'arracher du plafond, calice de BS ! continue-t-il sur un ton qui ne m'invite pas à lui emprunter deux cents dollars.

– Pas BS, SP : scripteur-pigiste !

La nuance, si mince soit-elle, n'effleure certainement pas l'esprit tordu de ce rustre personnage. Je préfère ne pas l'inviter à entrer.

– Trouve-toé donc une job au lieu de cogner su mon plafond, crisse de larve ! Larve de crisse !

De crisse larve, de larve crisse, crisse larve de et larve crisse de, j'ajoute dans ma tête.

– J'en ai pas pour longtemps, monsieur : j'fais une sauce à spaghetti ! Ma sauce à spaghetti à moi !

– Niaise-moé pas en plus ! C'est pas une heure pour construire des boîtes à savon, maudit crisse de fêlé de débile mental d'hostie ! As-tu vu l'heure ? Hein ? L'as-tu vu ? Veux-tu que j't'la montre en pleine face ? Veux-tu que j't'apprennes à compter sur une montre ? Hein ? Veux-tu ?

21:30 Il est parti. C'est un employé du gouvernement. Il a toutes ses forces lorsqu'il est chez lui. Je décide donc d'aller terminer d'ouvrir mes conserves dehors... Cette fois-ci, avec mon manteau.

21:34 Je sais où sont mes clés : tout juste à côté du poêle, près de la poubelle de la salle de bain et de mon couteau suisse. C'est là que je les ai lancées tout à l'heure en rentrant dans la maison.

21:35 En passant par le fer forgé à l'étage de mon charmant voisin, celui-ci m'aperçoit et frappe dans sa fenêtre en hurlant des injures à peine audibles. Je renverse un peu de jus de tomate sur sa galerie et ça n'a pas l'air de le calmer.

21:37 Une autre bière et je verse tout le contenu de mes conserves dans le gros chaudron. Ça renverse : 1,26 litre de jus de tomate ne doit pas correspondre à deux tasses. Je retire le chaudron et sors des essuie-tout qui s'enflamment au contact du rond du poêle que j'ai oublié d'éteindre dans l'énervement. Ça va vite lorsqu'on fait une sauce à spaghetti.

21:40 Le dégât est ramassé et je brasse un coup avec mon couteau suisse. Je n'atteins certes pas le fond du chaudron avec cette petite arme, alors je remue très fort pour que la vague ainsi provoquée s'y rende. Autre dégât, mineur celui-là.

21:44 Les ingrédients cons. « 1 cuillerée à thé de sucre » Du sucre dans une sauce à spaghetti? Laissons faire. « 1 cuillerée à thé de moutarde en poudre » Les cuisiniers aiment se donner du trouble. Je dépose le pot de moutarde dans le micro-ondes et attends deux minutes. Bien sec, je l'émiette et en prends une cuillerée à thé. « 1 feuille de laurier » Nous sommes en hiver. Il n'y a pas de feuilles l'hiver. « 1/4 de cuillerée à thé de poivre noir » Voilà autre chose! Un quart de cuillerée à thé! Maman Simort est bien équipée en cuillères! Elle doit avoir une cuillère suisse. Allons-y à l'œil.

« 1/4 de cuillerée à thé de marjolaine » Ils commencent à me les briser avec leur quart de cuillerée. Et c'est quoi de la marjolaine? Labiacées, famille de plantes dicotylédones gamopétales à fleurs zygomorphes. Ça ne change sûrement pas le goût à un point tel que Julie me reprochera de ne pas en avoir assaisonné ma sauce. « 1 bière » C'est pour mon moral et ma bouche. « 1/4 de cuillerée à thé de clous de girofle » Des morceaux de clous? Pas question! Le voisin d'en dessous remonterait armé.

21:51 « Couvrir et laisser mijoter lentement 3 à 4 heures. Retirer le couvercle et continuer la cuisson 1 heure de plus. » Mon étape favorite. Je m'assois près du poêle et de ma caisse de bière. À minuit et cinquante et une, je devrai commencer à m'interroger sur la possibilité de faire mijoter une heure de plus avant de retirer le couvercle. Au pire, je pourrai aller me coucher à deux heures cinquante et une. Aucun problème : demain, je n'ai que m'ennuyer d'elle à mon agenda.

22 : 34 Un coup de semonce surprise du voisin inférieur frustré me tire de mon assoupissement. Il devait croire que je dormais profondément. Je lui réponds d'un rude coup de talon et me débouche une autre bière. Il rétorque par une cavalcade du plafond de son entrée jusqu'à celui du salon. Je réponds subtilement trois petits, un grand, pause, un petit, un grand, stop, un grand, un petit, un grand, pause, quatre petits, pause, deux petits, pause, un petit, pause, un petit, un grand, un petit, stop. Aucune réponse de l'abruti analphabète.

23 : 20 Sursaut provoqué par le voisin furieux qui remet ça. Je reprends une autre bière et décide de brasser un peu ma sauce, car de la cochonnerie commence à s'y former en surface.

23 : 35 La sensation de couler lentement m'envahit. Comme si je m'évanouissais dans un sable mouvant italien. Je me réveille le bras droit dans la sauce, mon couteau suisse disparu au fond. Je m'essuie et reprends une bière, fermement décidé à garder l'œil ouvert.

Ils ne demeurent pas ouverts bien longtemps parce qu'ils se noient dans l'eau salée et que des crampes de peine me serrent la gorge et font couler mon nez. Je m'enlève d'au-dessus de ma sauce, me mouche en fa et continue d'imaginer la scène du repas avec Julie, lorsqu'elle goûtera ma sauce, que j'aborderai son éventuel retour et qu'elle refusera poliment, mais fermement. On s'engueulera doucement, j'attaquerai la réputation de son gugusse du moment, elle le défendra puis choisira de s'en aller pour toujours, que ça vaut mieux, etc. Elle ne réapparaîtra dans ma vie que lorsque je serai enfin parvenu à l'oublier. Elle me dira qu'elle est seule, qu'elle pense souvent à moi, ses yeux m'hypnotiseront, je n'entendrai pas mon fils me demander « C'est qui la madame, papa ? » et ma vie se transformera en calvaire. Enfin, j'espère...

4 : 32 On frappe ma porte, qui n'y est pour rien. Un témoin de Jéhovah qui travaille la nuit ? On l'engueule aussi :

– Hey ! L'ébéniste ! T'as pas assez de t'construire un chalet la nuit, faut en plus que tu y crisses le feu ?

Il y a de la fumée dans le logement, mais je peux me rendre jusqu'à la porte en rampant.

– Le feu est pris ? je demande à madame Cordeau, que l'alarme de l'immeuble a aussi réveillée.

– Ça vient de chez vous, crétin ! gueule le voisin en entrant dans mon logement.

Il arrive à la cuisinière, prend le chaudron, ouvre la fenêtre et le lance de toutes ses forces. Forces qu'il a nombreuses d'ailleurs.

— Ma sauce !

— De toute façon, elle a dû coller un peu, me console madame Cordeau.

Je vais à l'extérieur récupérer le chaudron que je refroidis avec de la neige. Tout ce qui reste de ma sauce à spaghetti à moi est collé aux parois. C'est aussi sec et dur qu'une pierre aride.

Je reviens dans l'immeuble, où m'attendent tous les locataires.

— Ça s'ra pas facile à laver ! constate une locataire qui ne dort malheureusement pas toute nue, en apercevant le chaudron.

— J'vais vous arranger ça, madame Cordeau, lui dis-je pour la rassurer. Votre chaudron aura l'air d'un chaudron.

— Essaye de récupérer ton couteau suisse dans ton ciment, mais laisse faire pour le chaudron, répond-t-elle.

— J'ai assez hâte que tu décrisses, maudit crisse de drogué pédophile ! dit qui-vous-savez.

— Va donc t'coucher, gros niaiseux ! lui ordonne madame Cordeau. Pis fais donc pisser ton chien dehors si tu veux pas le r'trouver en numéro trois pour deux ! Ça sent juste la pisse dans l'immeuble.

Il retourne bien se coucher. En ressortant de mon appartement, la porte s'est refermée derrière lui. Et devant moi.

3e épisode

Subsistance précaire

— De plus en plus pathétique…

I

Ma brève incursion dans le monde culinaire s'étant avérée un cuisant échec, Marie n'a tout de même pas abandonné mon cas.

— Pour oublier Julie, le mieux ce serait que tu sortes avec une autre fille, dit-elle sans rire.

— Tu sortirais avec un type qui a l'air de ça ? je lui réponds en pointant ma personne avachie sur le divan, mal rasée et sale, tenant à la main sa ixième bière de la journée.

— Non. Et Julie non plus. Si tu me promets d'être propre pis à jeun, j'peux te présenter une fille tu-suite à soir !

— L'aubaine. Une guénille qui se cherche un torchon.

— Non. C'est une fille qui travaille avec moi. Elle est célibataire depuis longtemps pis elle est en manque.

— J'imagine la bette. Célibataire depuis longtemps, c'est dangereux.

— J'te jure que tu la trouverais pas laide.

Une personne qui n'est pas complètement laide n'est pas jolie pour autant. Mon logement n'est pas grand. Pourtant, il y a de la place pour laisser traîner beaucoup de choses et on ne serait pas assez de quinze pour en faire le ménage.

— Si tu veux, j'peux l'appeler tu-suite. On ira veiller quelque part pis, si elle t'intéresse et que tu l'intéresses, qui sait ce qui peut arriver ?

— OK. Ça va être rigolo.

— À une seule condition : t'arrives sobre, propre pis rasé. J'veux pas avoir honte.

— Juré, craché, pété.

— Pis tu surveilleras c'que tu dis.

— Oui.

— Pis tu feras ton ménage.

— Oui.

— Pis parle pas de Julie devant elle.

— T'as dit à une seule condition, pas dix !

— Tu y parles pas de Julie, répète-t-elle.

— Oui... C'est quoi son nom ?

— Sandra. Mais tout l'monde l'appelle fée clochette.

— Fée clochette ? Pourquoi ?

II

— François ? murmure-t-elle doucement. Dors-tu encore ?

Bien sûr que non, cloche. Voilà bien une demi-heure que je garde les yeux bien ouverts derrière mes paupières closes. Je suis un oiseau du matin, un vautour qui préfère les croûtes de pain bien fraîches de l'aube aux mollottes de fin de journée.

Je ne lui réponds pas. Je choisis plutôt de continuer à faire semblant de ronfler. Sans en mettre trop.

Pas facile de feindre le sommeil avec ces seins qui se pressent contre mon dos et ce sexe contre mes fesses. Alors je me concentre très fort et j'imagine qu'un chauffeur d'autobus obèse veut m'enculer, et l'extrémité de mon corps qui pourrait dévoiler ma conscience ne me trahit pas.

J'aurais voulu m'enfuir en même temps qu'apparaissaient les premiers kilowatts/heure de soleil, la laisser roupiller et partir rouler en bagnole pour réfléchir à tout ça, mais quand j'ai ouvert les yeux, je constatai avec effroi que je me trouvais chez moi, dans mon lit à moi. Geôlier prisonnier de son pénitencier.

Prétexter un boulot urgent ? Je lui en aurais parlé la veille. Au moins, j'aurais eu quelque chose à lui dire.

Comment a-t-elle atterri dans mon lit ? Je me rappelle être arrivé sobre, propre et rasé au bar. Un. Marie m'a présenté Sandra. Deux. Sur le coup, je ne l'ai pas trouvée complètement affreuse. Elle et Marie ont jasé boulot un moment. Trois. Un bon moment puisqu'après, tout s'embrouille. J'ai bu quelques bières. Elle a commencé à m'adresser la parole, j'ai donc commencé à lui répondre. La musique était si forte que ma bouche se desséchait rapidement à tenter vainement de discuter. Alors, sans comprendre les questions, je répondais oui de la tête sans arrêt et allais me chercher d'autres bières à un rythme infernal.

Marie est partie, me laissant tout à fait seul. J'ignore qui des deux a parlé café, mais nous nous sommes retrouvés ici à rediscuter de rien. Je l'entretenais de la pluie et elle répondait beau temps. Je m'endormais et envisageais mal devoir lui faire l'amour à ce moment-là ni jamais.

Et hop ! Sans que je parvienne à me souvenir de ce qui déclencha tout ça, nous étions tout nus et elle mordait mes couilles comme quelqu'un qui ne sait pas à quel point c'est fragile. Elle a essayé de mettre son doigt dans mon anus, alors j'ai dû brusquement mettre les choses au point. De son côté, mon pénis était ivre mort et j'ai dû faire des kilomètres d'imagination pour en tirer quelque chose.

Je m'en voulais d'être là, avec une autre. C'est Julie qu'il me fallait. Elle, ses seins, son sexe et son souffle. Emplir de ma salive chacun des pores de sa peau, bouger à son rythme et lui offrir mes épaules pour qu'elle s'y accroche bien.

Au lieu de cela, j'étais avec Sandra. Elle ne sentait pas très bon là où ça compte, et c'est moi que cela embarrassait. On se réhabilite vite à la propreté. Sitôt que mon pénis est arrivé à se tenir droit tout seul, je lui ai enfilé son costume de pénis-grenouille et j'ai plongé.

Résultat : elle est ici et je voudrais être ailleurs. Une réunion oubliée dans les méandres de mon agenda ? Elle ne marcherait pas. La mettre brusquement à la porte ? Hmm...

Elle change de position. Bien. Elle se lèvera bientôt, avant moi, mais cela n'aura aucune conséquence : nous sommes chez moi. Si elle s'emmerde, elle n'a qu'à partir en se rhabillant et en fermant la porte doucement. Elle laissera peut-être un petit mot. Quelque chose de très gnangnan avec son numéro de téléphone. Je pourrai déchirer le bout de papier violemment, ce qui me calmera. Aura-t-elle la clairvoyance de prendre en note mon numéro de téléphone inscrit sur l'appareil ? Elle pourrait aussi le trouver dans le bottin, il y est. Elle rappellera un jour, peut-être aujourd'hui même. Merde.

Si elle choisit de niaiser ici en attendant mon réveil, je resterai au lit encore plus longtemps.

Elle se lève. Je voudrais bien ouvrir un œil pour l'observer toute nue, debout, vérifier si je n'ai pas commis l'irréparable hier soir. Où va-t-elle ? À la salle de bain. Elle marche doucement. Julie marchait du talon. Ça dénote sûrement un manque de détermination. Elle baisse le siège. S'assoit. Je me bouche les oreilles, histoire de ne pas donner envie à ma vessie d'imiter la sienne. Elle tire un coup d'enfer sur le rouleau de papier hygiénique. Elle bouchera les chiottes, c'est sûr. Et la voilà qui en reprend encore !

Elle ne doit rien foutre maintenant, se regarder dans le miroir, quelque chose comme ça. Je n'entends rien. Que fait-elle ?

La douche. Merde, elle aurait pu m'attendre.

Je n'ai pas l'habitude de prendre une douche la première fois que je vais chez les gens. Julie non plus. Pourquoi pas utiliser ma brosse à dents et mon antisudorifique ? Vas-y, cloche ! Mets mon linge, bois mon sirop pour la toux et fume mes mégots !

– Aye ! étouffe-t-elle pour ne pas me réveiller.

Hi, hi. C'est tout un apprentissage d'obtenir une eau à une température agréable. Elle comprendra malheureusement assez vite que le pommeau d'eau froide tourne dans le sens inverse du pommeau d'eau chaude.

J'adorais prendre un bain avec Julie et beaucoup de mousse. Observer sa peau mouillée. Découvrir les méthodes d'entretien de ce fabuleux complexe du bonheur. Lui couvrir le dos de savon et jouer à devine le mot que j'y écris, un quiz qui ferait fureur à la télé.

Elle a terminé de se doucher. Trop petits ses seins, trop brefs à laver. Elle espère peut-être que le bruit de la douche m'aura réveillé. Qu'elle sèche.

La revoilà dans la chambre. Il n'est pas question qu'elle vienne s'étendre près de moi, toute froide, les cheveux mouillés. Elle fouille dans son sac à main. Que cherche-t-elle?

Des slips! C'est certainement ce qu'elle en a tiré puisque j'ai bien entendu l'élastique claquer sur ses hanches. Elle trimballe des bobettes propres dans son sac! Elle est bien bonne celle-là. Tiens? Il me vient une idée: je revêtirai mes vieilles d'hier.

Elle ressort de la chambre et se rend au salon. En slip! Et si on frappait à la porte?

Que fait-elle? Je n'entends rien. Pourquoi ne part-elle pas? Je pourrais sortir par la fenêtre, disparaître. Déménager sans laisser de trace. Tant qu'à rien foutre, elle pourrait épousseter, faire la vaisselle ou mettre son manteau et partir.

Quand Julie se réveillait, qu'elle déshabillait ses petits yeux de ses paupières d'un clin engourdi et mignon, elle devenait toute nue à l'intérieur. C'est au cours de ces brefs instants de fragilité, ses muscles continuant à ronfler un moment, que je choisissais de la serrer dans mes bras gonflés de sécurité. Me levant toujours bien avant, je pouvais chaque jour apprécier le plus joli lever de soleil du monde. Peu importe la météo. Et je n'en ai gardé aucune photo.

Julie se préparerait quelque chose à bouffer, lirait un brin en écoutant de la musique ou se ferait belle. Je haïs l'oisiveté. Je ne peux pas comprendre qu'elle reste là, aplatie sur le divan du salon. On a deux bras, deux jambes et des muscles, c'est pas pour les chiens !

Ce que je viens de penser m'étonne. Ça y est, je suis certainement en train de changer en mieux.

– Dring.

Merde.

– Allô ?... Un instant...

Elle se permet même de répondre au téléphone. Et si c'était Julie qui appelait pour me dire à quel point elle regrette de m'avoir quitté, que tout doit redevenir comme avant ?

– François, téléphone, vient-elle me chuchoter à l'oreille.

Évidemment, cloche. C'est chez moi ici.

Je feins de me réveiller. Hurgm. Je me frotte les joues comme dans les films de gars qui se lèvent le matin.

C'est Sylvio qui souhaiterait parler avec Rosaire. Je fais la sourde oreille et invente plutôt un dialogue à mon avantage : « Salut mon Billy-Bill... Oui... Pis tu veux déménager ça tout de suite ? C'est urgent sans bon sens... Ça m'tente pas pantoute, mais je vais te donner un coup de main pareil. Après tout, tu m'as déjà sauvé la vie : j'te dois bien ça. »

– T'as quelque chose à faire ? demande la cloche.

– Oui. Va falloir que je parte. Un truc à déménager pis mon chum peut avoir un camion juste avant-midi.

– T'as déjà failli mourir?

Oui. Et tu étais là.

– Non. C'était une façon de parler, je réponds plutôt, très doucement puisque je voyais poindre la fin de mon calvaire.

Bon.

– Veux-tu déjeuner avant de partir?

– Non. Je vais partir tout de suite.

– Bon.

On ne s'est jamais reparlé. Elle n'était pas Julie et ne le sera jamais.

Et si j'attendais un printemps qui n'arrivera jamais?

4e épisode :

L'ESPOIR MALADE

— Il y a encore quelque chose
de pathétique dans ce titre !

I

La réceptionniste, méconnaissable sous les trois kilos de crème qu'elle s'applique sur le visage pour soigner sa peau qu'on ne voit plus, m'a bruyamment demandé si j'étais le fils de mon père.

— Affirmatif, j'ai répondu.

Elle l'a annoncé à tous les employés qui passaient près d'elle, puis elle a crié mon nom très fort dans la salle d'attente en ajoutant que le psychologue pouvait me recevoir.

Le psyndiqué du CLSC m'a rassuré :

— Vos troubles de panique n'ont aucun rapport avec le fait qu'elle vous ait quitté.

— Donc, je n'ai pas à lui en vouloir, c'est ça ?

— Exact ! Ça se passe plutôt dans votre minusculisme, jeune homme. La recherche propose plusieurs hypothèses. De mon côté, c'est-à-dire pile, j'ai opté pour l'hypothèse qui prétend qu'il pourrait s'agir d'un désordre méta-bolique lié au lactate... Lactate. Joli mot, non?

– Vous me rassureriez, monsieur, si vous m'expliquiez d'où viennent mes lactates.

– C'est tout simplement une substance produite par les muscles. Dans le cas qui nous intéresse, c'est-à-dire le vôtre, cela affecte votre caboche, jeune homme.

– Ma tête?

– Oui. Vous êtes malade dans la tête, mais c'est un désordre chimique tout à fait bénin. On ne vous attachera pas aujourd'hui.

– Que me conseillez-vous dans ce cas-là?

À question sotte réponse sotte : au lever trois Librium, deux Valium, deux Équanil, deux Ativan, deux Clonazepan, deux Xanax et deux Rivoflex. J'accompagne tout cela de trois Elavil, deux Tofranil et quatre Pertofrane. Avec tout ça, plus question de paniques injustifiées, de craintes folles d'être malade et d'appétit au dîner.

– En avalant tous ces trucs quatre fois par jour, ça ira beaucoup mieux, me prédit le préposé aux prescriptions du CLSC.

– Ça va me coûter une fortune!

– La santé mentale n'a pas de prix. C'est ma devise. Jolie devise, vous ne trouvez pas, jeune homme?

II

Tout a probablement commencé par un cauchemar atroce. Je me trouvais à l'hôpital quand mon docteur, un homme qui connaît ses classiques, me dit : « J'ai une bonne pis une mauvaise nouvelle ! »

J'essayai de tirer à pile ou face, mais je n'avais plus de petit change, car les poches de ma jaquette n'avaient pas de fond.

— Commencez par la mauvaise, me résignai-je.

— Vous êtes en phase terminale avancée.

Mais il avait aussi une bonne nouvelle :

— Avec toutes les maladies que vous avez, si vous toffez jusqu'au 3 septembre, vous serez dans le livre des records !

— Parfait. Fantastique consolation. Le 3 septembre, c'est dans six jours !

— Non, coupa le docteur. Le 3 septembre de l'an prochain. J'ai misé un gros deux contre vous, mais l'infirmier du deuxième étage est sûr que vous pouvez toffer jusque-là. Il me doit déjà quarante piasses. C'est un loser. Si j'étais vous, j'étirerais pas ça comme de la gomme balloune. Crevez et qu'on n'en parle plus.

Il a ensuite comparé mon état à une partie de baseball :

— Vous voulez dire que c'est pas fini tant que c'est pas fini, docteur ?

– Non. Que vous coûtez une fortune en salaires !

Là, j'ai vu un commercial de dentifrice parce que dans les rêves, c'est comme ça : on ignore pourquoi et on voit soudain des trucs sans rapport. Peut-être n'avais-je pas brossé mes dents la veille ?

Le docteur utilisait un paquet d'images pour s'exprimer. Il parla de ma boîte noire et je dus conclure qu'il s'agissait de mon autopsie. Selon ses dires, il voyait enfin le tunnel, mais il n'y avait pas de lumière au bout ; je devrais trouver l'interrupteur moi-même. Il m'a dit de me préparer au grand voyage, qu'il ne s'agissait pas d'un voyage organisé. Au moins ainsi, je ne serais pas embêté par personne.

Divers cancers me rongeaient. Je n'aurais plus pris beaucoup de place dans un album de photos. Les joueurs du Canadien vinrent me rendre visite : ils m'ont enrubanné les pieds et autographié leur nom sur le visage. Avec tous les trucs plogués sur moi, j'avais l'air d'un aspirateur central. Pour passer le temps, j'avais toujours le doigt sur la sonnette et l'infirmière de l'étage me prenait pour un témoin de Jéhovah.

Je mourais.

Je me suis réveillé en sursaut. Ce matin-là, j'eus beau lire deux fois mon *Journal de Montréal*, cette impression de mort à venir restait omniprésente, comme un relent désagréable.

Pour me changer les idées, j'ai vidé la poubelle, fait la vaisselle, lavé la toilette et le mur qui lui est contigu. Mais mon imagination constatait depuis quelque temps un changement étrange dans la configuration de mes selles et une irisation de mon urine. Des nausées confirmaient certainement un problème au foie, à la gorge ou dénotaient peut-être un développement exagéré de ma luette. Mon cuir chevelu m'irritait et mes six cafés matinaux ne parvenaient plus à me garder performant.

Pour tout oublier, je suis allé m'étendre un peu et tout a commencé.

C'était comme lorsqu'on se trouve devant un ravin et qu'on se sent perdre l'équilibre. Comme lorsqu'on pose une question sotte lors d'une assemblée générale de l'association étudiante. Comme lorsqu'on voit les gyrophares d'une voiture de police s'allumer derrière soit après huit bières de trop. Comme lorsqu'on se retrouve tout nu, en érection, dans un centre commercial bondé.

Mon cœur battait si fort que le locataire du dessous a dû songer à s'en plaindre au propriétaire. Ma cage thoracique devint trop petite pour tout contenir. Je tremblais comme une feuille, suais sans savoir pourquoi.

Ça y est! pensai-je. Je deviens fou. Je capote.

Je me croyais en train de mourir et n'avais rien fait pour cela. Je ne jouais jamais avec des armes à feu, regardais de tous les côtés avant de m'engager dans une intersection et ne me droguais pas.

Les murs de ma chambre me criaient des noms. Tout s'embrouillait. Et dans ma tête, je répertoriais toutes les maladies qui croissaient en moi. Atteint de tant de maux, je mourrai dans quelques secondes. C'est sûr. Pourquoi moi ?

Lorsque la crise parut s'estomper, je suis sorti marcher un peu. Il faisait froid et cela m'aida à reprendre mes esprits. Je n'étais pas mort. Alors que m'arrivait-il ?

J'ai téléphoné à Julie :

— Vous feriez mieux de laisser un message, me dit-elle. Depuis quand me vouvoie-t-elle ?

— *'Cose we're very bosy now,* ajouta une voix mâle et virile qui m'était inconnue.

Bip ! conclut un bipeur.

— C'est François. Rappelle-moi. Je suis en train de mourir. J'en ai plus pour très longtemps.

Quand j'eus raccroché, Sylvio m'appelait pour parler à Rosaire. Je l'ai envoyé chier. Tout compte fait, ils ne doivent pas se parler très souvent au téléphone.

II

Julie m'a rappelé quatre jours plus tard. J'étais en putréfaction. J'avais eu une autre crise au volant de ma voiture (en passant sur un pont duquel j'allais certainement tomber, puis mourir noyé, coincé dans ma bagnole et les glaces), au cinéma (où un crétin de scénariste a cru bon de faire engager une conversation sur les maladies des personnages) et dans ma salle de bain (où j'analysai ma défécation point par point pour finalement conclure qu'elle n'avait rien de régulier). Je tentais de me garder ivre en permanence puisque je remarquai que je me sentais beaucoup mieux ainsi. Ça coûtait cher en boisson et nuisait à mes déplacements en voiture, mais ma santé mentale s'améliorait.

— T'es en train de mourir de quoi? me demanda Julie.

— De plusieurs maladies microscopiques qui ne se voient pas à l'œil nu. Genre cancer, hydroencéphalie, sida, galactophorite aiguë. Mon duodénum est colon, ma prostate veut me sortir par l'urètre et je manque d'amygdales. J'capote bien, bien raide quand j'y pense. J'en fais des crises très, très aiguës. Voilà.

— As-tu été voir un médecin?

— Pourquoi? Il confirmerait tout ça et en découvrirait peut-être d'autres bien pires!

— C'est dans ta tête que ça se passe...

— Et mes crises? J'ai des symptômes physiques!

— Tu devrais consulter un psychologue, dit-elle avant de me parler de ses études qui vont très bien.

Je l'ai brillamment amenée à me parler du nouvel abruti qui partage son lit et son message de répondeur. J'ai ensuite raccroché et, calmement, je me suis étendu pour pousser une bonne crise d'angoisse comme je sais de mieux en mieux le faire.

Je consultai donc. Quand j'expliquai que j'avais chaque fois mes crises principalement en pensant à toutes les maladies dont je crois souffrir, il m'a prescrit ma faillite financière.

Ma mère m'a prêté des sous. Des tonnes. Désormais, je ne suis plus ivre. Mais je buzze autant.

5e épisode :

ELLE ME RÉAIMERA

– Le verbe réaimer n'existe pas !

– Je suis le tigre ! Je veux et pour avoir je tue ! Je suis le tigre ! Je veux et etc. ! Je me répète devant mon miroir, insouciant reflet d'une si forte personnalité.

Toc. Toc.

Ce sympathique « toc-toc » est celui de madame Cordeau. Le type d'en dessous, pour m'engueuler, tape « TOC ! TOC ! » et les Gênés anonymes, pour quêter, tape « to ».

– Entrez, c'est pus barré.

– Ton lavage est fini, mon fou ! me dit-elle depuis l'embrasure de la porte. Viens m'aider à l'plier !

– Appelez-moi pas « mon fou ». C'est rien pour m'aider.

Pour le lavage, je n'abuse pas de madame Cordeau, mais elle réussit tellement chacune des brassées qu'on jurerait qu'elle a inventé les sigles qu'on retrouve sur les étiquettes que personne ne comprend. Pour moi, un triangle rouge, ça se portera toujours derrière un tracteur à la campagne. Je n'abuse pas. Mais ce soir, je ne coucherai pas seul. Ni avec Sandra. « Je suis le tigre. Je veux et pour avoir je tue ! Etc. » Alors, elle a lavé mes draps, mes plus beaux jeans et mon t-shirt avec « Je suis rebelle » écrit dessus en semblant de gouttes de sang ultramacabres.

Je la suis chez elle, la porte suivante. Dans le couloir, nous croisons monsieur Bernier, un professeur de chimie toujours célibataire qui sent l'étain et le verre convexe.

Madame Cordeau sort de sa jaquette un porte-clés de vingt kilos. Elle hésite entre huit clés. Elle est davantage habituée à sortir de son logement qu'à y entrer.

On ne voit rien dans son logement : mes draps, suspendus de la cuisine au salon, nous privent de la vue exquise de sa lampe à l'huile avec de la cire à l'intérieur. Quand on allume la lampe, la lumière chauffe l'huile rouge et la cire prend des formes d'intestin grêle ou autres stalactites inutiles.

Elle détache les draps et commence à les plier à son extrémité pendant que j'essaie de suivre son rythme de mon côté.

– Jalouse ! dit-elle. Jalouse ! C'est la seule façon. Julie sait très bien que tu ne penses qu'à elle depuis des mois. Ça te rend malade. Tu coûtes plus cher en médicaments que feu mon mari. Tu te négliges comme jamais et pendant ce temps-là, elle fait ce qu'elle veut avec son abruti...

– Arabe ! je la coupe, tout en ne sachant pas très bien lequel était pire, n'ayant jamais été arabe.

– ... avec son abruti, reprend-elle, en sachant bien que si quelque chose marche pas avec lui, tu seras là à l'attendre !... François, c'est la jalousie qui te la ramènera ! Dès qu'elle pensera t'avoir perdu aux mains d'une autre, elle va réapparaître !

Madame Cordeau croit à son histoire. Moi, je suis plutôt convaincu que Julie ne souhaite qu'une chose : que je ne l'attende plus.

– Braf, heu, bref, il faut que j'pogne à soir !

(C'est rare qu'on mette ce genre d'hésitation dans un roman. C'est pour faire plus naturel).

– Tu sais que Julie sort à soir en ville avec son hindou...

– Arabe !

– Bouddha, Raël, Glenn, on sait pus à quel saint se vouer... Tu sais qu'elle sera là, avec l'abruti. Toi, tu y seras et tu en ressortiras avec une autre fille. Et organise-toi pour que Julie te voie partir avec une belle fille ! Personne ne serait jaloux d'une guenon.

– Pis si j'pogne pas à soir ? je m'inquiète.

– Tu l'sais que tu peux plaire aux femmes. T'oublies la Sandra.

– Exact : j'essaie de l'oublier.

– De toute façon, ça va marcher ! T'es le tigre ! Tu veux et pour avoir tu tues ! Te répètes-tu c'te belle maxime-là ?

– J'arrête pas.

– T'es le tigre! insiste-t-elle.

– Vous êtes un peu bizarre, non?... Non, mais c'est vrai, quoi... Quand vous parlez comme ça, je...

C'est vrai, non?

Elle se renfrogne. Ouais, bon, c'était tant mieux, un peu.

II

– Laisse tes draps pliés sur ton lit, me conseille-t-elle, de retour chez moi. Comme ça, la fille que tu ramèneras pensera que tu laves ton linge régulièrement.

De toute façon, je n'ai pas envie de faire le lit.

– J'peux pas comprendre qu'une fille ait accepté de coucher dans tes draps. Y étaient sales sans bon sens! Sandra aussi.

– Et mets pas d'cravate!... C'est passé d'mode!

Je n'en ai pas.

– T'as sûrement le temps de t'raser, non?

C'est passé de mode.

– Oui, madame Cordeau. J'trouverai l'temps. J'vous l'jure.

– As-tu soupé? J'ai un restant de gnocchis qui va se perdre si on le mange pas aujour- d'hui. Ça va t'aider à digérer tes pilules.

Si la seule crainte de madame Cordeau est de perdre un petit restant, elle devrait jeter un coup d'œil dans mon frigidaire. À voir la bette gonflée de mes tupperwares, je pourrais donner le botulisme à une armée. Une vraie, pas la canadienne.

— La rendre jalouse, vous êtes bien certaine que c'est un bon truc?

— On n'est jamais sûr de rien! répond-elle.

Réponse plate.

— Et si ça la choque?

— Au moins, tu en entendras parler! C'est mieux que tout ce que tu as eu jusqu'à maintenant. Combien de fois t'a-t-elle appelé en six mois? Trois fois?... Deux?... Une fois, et c'était sûrement un mauvais numéro! De toute façon, si ça la choque, c'est qu'elle est jalouse. Et une femme jalouse, c'est une femme qui aime. Et une femme qui aime et qui est jalouse, ça vient engueuler son homme en pleine face. Et si elle vient t'engueuler en pleine face ici, t'as des draps propres. Où est le problème?

Où est le problème?

— Si tu lui parles, dis rien à propos de tes crises existentielles pis de tes médicaments, continue-t-elle. Les femmes aiment pas les hommes plaignards. Et si tu lui parles, glisse-lui un mot à propos de ta proie de la soirée. Elle va bouillir.

III

Je téléphone à mon frère, malhonnête garagiste qui accomplit son boulot avec professionnalisme. C'est un éternel optimiste : il dit chaque fois à ses clients que ça ne devrait pas coûter bien davantage que plusieurs centaines de dollars.

— Frère, qu'est-ce qui traîne comme voiture dans ta cour ces temps-ci ?

— C'est pourquoi ? il demande.

— La mienne démarre difficilement au froid. Comme je pars cruiser, j'voudrais pas avoir l'air fou.

— De toute façon, peu importe le char, t'es fou pareil. J'commence à me d'mander si tu n'es pas le père biologique de Rémy : tu prends autant de pilules que lui.

— Ba, ba, ba, bi, ba.

— Bon... C'est vrai qu'un bon char, c'est essentiel pour cruiser.

— Qu'est-ce que t'as ?

— Bouge pas. J'y pense... Heu, j'ai la Toyota 83 de monsieur Mathieu...

Ouache !

— De toute façon, faut y changer le câble de clutch... J'ai la fourgonnette de Thériault : idéal pour aller fourrer dans un restaria ! Est full-equip en d'dans : les sièges en minou, lit, lavabo, boîte de Kleenex... Elle a juste besoin d'un changement d'huile. Tu peux la prendre.

– Trop macho... T'as rien de plus classique?

– Un Météor, propre en d'dans comme en dehors.

– Une voiture chic!

– Y a la SAAB de monsieur Giard...

Parfait! Elle est en état de rouler?

– Oui. On l'a fini aujourd'hui: y pouvait pas venir la chercher...

– Quand tu rentreras au garage demain, cherche-la pas! *Tonight's the night!* Je suis le tigre... Oui, non, mais ce serait trop long à t'expliquer... Non, mes médicaments m'empêchent pas de conduire. Faq'si monsieur Giard vient la chercher demain, tu y diras qu'elle est à Montréal, qu'il manquait des morceaux... C'est ça, comme d'habitude... Oui, j'te raconterai comment ça s'est passé. En détail.

Le garage n'est pas très loin de chez moi. Je m'y rends donc à pied.

IV

– Hi, Tommy! C'est François du Québec. Quoi de neuf à Phœnix? Oui... Oui... T'es pas sérieux? Raconte-moi ça du début! Pis parle lentement, j'ai du mal à te comprendre avec ton accent...

V

– ...OK, Tommy. Bye. Tu viendras faire ton tour... OK, bye !

C'est tellement pratique un téléphone cellulaire. Celui de monsieur Giard fonctionne à merveille. Il sera heureux de l'apprendre.

Sa SAAB n'a pas démarré hier matin. La batterie achevait. À moins vingt degrés Celsius, qui blâmer ? Une pauvre batterie ? Alors mon frère lui raconta que le « cap roter » était fêlé et que le feu courait sur son filage, etc. Le feu, ça effraie toujours le client.

La sono est excellente. Il ne faudra pas que j'oublie la cassette de Metallica dans sa radio. Comment mon frère expliquerait que les speakers sont défoncés ? Quoique... Quand le feu court sur le filage, tout est possible.

C'est serré, mais je réussis à garer la SAAB sans trop l'abîmer entre un gros Chrysler vert et une Honda noire. Le plaisir avec la SAAB blanche de monsieur Giard, c'est qu'on peut camoufler les éraflures avec du liquide correcteur... et j'en traîne toujours sur moi. Après quelques jours, le liquide correcteur disparaîtra et Giard croira que c'est sa femme qui a esquinté la voiture.

Je débarque de la bagnole et foule le bitume froid. C'est l'hiver trop longtemps. S'amasse ensuite de la neige sous mes bottes et le scrountch-scrountch que cela provoque me fait grincer les dents. J'accélère le pas en essayant de m'envoler en direction du bar à tigres et à tigresses.

Soudain, qui vois-je débarquant d'un ignoble Impala 78 ? Lui !

Ce lui, je ne le connais pas vraiment. Il est assez grand, doit chausser du dix et porte une ravissante canadienne : c'est Julie. Elle, je la connais et reconnais facilement. Elle est sortie par la même portière que lui. Plutôt pourrie son Impala. Au moins, elle ne sort pas avec lui pour son fric, je n'aurais aucune chance...

— Pourrie son Impala ? m'exclame-je dans ma tête, bien caché derrière un réverbère. J'ai une idée !

Je regagne la SAAB et téléphone sans attendre à Coco.

— Ouaille, s'tie ?

— Coco ? C'est moi.

— Qu'est-ce qu'y a, s'tie ?

— Ton excavatrice est dans ta cour ?

— Ouaille. Pis si y neige pas, elle bougera pas de d'là, s'tie.

— J'ai un service à te demander...

— S'tie.

— Pour cinquante piasses...

— N'importe s'tie quoi... pour soixante-s'tie-quinze !

— Pour soixante piasses, conclus-je. Embarque dans ton excavatrice...

— Appelle donc ça une pépine, comme tout l'monde, s'tie.

— Embarque dans ta pépine pis viens t'en tu-suite sur la rue Saint-Dominique en face du centre de chômage.

— Pourquoi, s'tie?

— Tu verras... Tu vas rire et empocher soixante-dix piasses, reconclus-je à la hausse.

Coco a une excavatrice parce qu'il excave. Et l'hiver, il l'utilise pour déneiger des cours. Il a le contrat de déneigement de la cour du garage de mon frère. Lorsqu'il égratigne une voiture, ça lui coûte plus qu'il ne gagne dans son hiver. Le client qui laisse traîner sa voiture dans le stationnement en attendant sa réparation sait très bien que le garage n'est pas responsable des dommages faits à sa voiture. Et Coco manie très mal son excavatrice parce qu'il sort tout juste de prison et qu'en prison, ils n'ont évidemment pas de leçons de conduite d'excavatrice. Tout compte fait, c'est très lucratif pour mon frère de faire déneiger sa cour par ce gnouf.

En l'attendant, je fous du heavy métal violent au maximum pour le courage et fouille dans le coffre à gants de monsieur Giard: j'y trouve des condoms. Pour que madame Giard lui fasse l'amour, il doit se les foutre sur la tête. J'en prends deux, ça pourrait servir. On n'entend pas bien les paroles des chansons parce que le carton fêlé des haut-parleurs mène un boucan du tonnerre et que le chanteur ne chante pas vraiment.

Le voilà. Il suit son bruit d'enfer. Je monte le rejoindre dans la cabine.

— Comment ça fonctionne ta petite pelle en arrière ? je demande à Coco.

— C'est compliqué en ostie. Tu serais mieux d'utiliser celle d'en avant.

— Ça serait moins marrant... Montre-moi comment ça marche.

Et il m'enseigne quelques rudiments. Les plus rudimentaires. Quatre manivelles : tu montes celle-ci, tu descends celle-là, vice-versa et ça donne l'effet contraire, ne touche pas à celle-ci, celle-là est à moi et ne me prends pas pour ce genre de gars, etc.

— Bon. Parfait. C'est pas trop compliqué, finalement.

— Ouaille, mais qu'est-ce tu veux faire ?

— T'oublies pas quelque chose ?

— Heu... Qu'est-ce tu veux faire, s'tie ?

— Beaucoup mieux... Débarque pis va au coin de la rue. Quand tu verras qu'y a aucune voiture qui s'en vient, tu lèves le bras. Si une voiture arrive avant que j'aie terminé, tu lèves les deux bras, tu fly au bar pis tu commences à dire à tout l'monde qu'on t'a volé ton excavatrice. OK ?

— Pépine !

— Qu'on t'a volé ta pépine.

– Tu m'fais peur en ostie! Organise-toé pas pour que je r'tourne en d'dans avec tes plans de nègre!

– Même dans l'noir, t'as peur de ton ombre, Coco! Y a pas d'danger. À cette heure-ci, y a pas beaucoup de voitures qui passent dans les rues... Ça se conduit comme n'importe quelle excavatrice?

– Ouaille. Ça, c'est la clutch, est dure, ça c'est le gaz, le brake.

– Parfait. Va t'en au coin de la rue. J'attends que tu lèves le bras.

Pendant qu'il se rend à l'angle de Saint-Dominique et Saint-Martin, je réussis à déplacer le monstre de métal jusqu'à côté de l'innocente Impala repue.

Il regarde de chaque côté puis lève le bras. Allons-y! Yeepee!

La première manivelle vers le haut, la petite pelle s'élève, la seconde en bas et la pelle se dirige tout juste au-dessus de l'Impala. Hop! J'abaisse le premier levier et de même s'exécute la pelle. Elle frappe le toit du véhicule avec fracas. La pépine se soulève autant que s'enfonce son poing dans la bagnole. La cabine de l'excavatrice danse sur les deux seules roues qui touchent toujours le sol. Je relève la pelle; coincée dans l'acier, elle soulève du même coup l'Impala qui décolle de terre avant de retomber lourdement sitôt que le bras du dragon s'en déprend. Un coup d'œil vers Coco: il a les deux mains sur la tête et j'ignore ce que signifie ce signal. Certainement des félicitations. Je pousse la pelle un peu plus vers la gauche et l'abaisse directement sur le capot. Les viscères du moteur craquent et s'écrapoutillent. Je pousse un gros grrrr! puisque je suis le tigre, mais mes oreilles m'entendent et me trouvent ridicule. Personne ne m'a vu ou entendu et je décide de garder ces rugissements pour plus tard.

Le vacarme métallique est terrifiant, mais je n'y pense pas. J'ai trop à faire à essayer de redresser la pépine qui a basculé et qui se retrouve maintenant appuyée sur sa victime. Considérant rapidement les lois de la physique, je relève la pelle et la ramène droit derrière l'excavatrice, ce qui la fait retomber sur ses deux roues droites. Je retourne le siège vers l'avant, embraie et voilà le travail. Un véritable jeu d'enfant.

— Tu viens prendre une bière? je propose à Coco qui vient me rejoindre dans la cabine.

— Es-tu fou? hurle-t-il. Le train que t'as fait a dû alerter tout l'quartier!

— Bon. On se reprendra pour la bière... Tu peux passer par un guichet automatique? J'ai pas assez de liquide pour te payer.

— Débarque! Faut que j'crisse mon camp d'icitte, ostie!

Il a tort. Avec toutes les pilules que j'ingurgite, j'oublierai certainement qu'on s'était entendus pour soixante-dix piasses...

VI

En entrant dans le bar, je me dirige tout de suite au petit endroit faire un petit pipi sur la cuvette et sur le réservoir de la toilette. Le prochain qui y sniffera de la coke lui trouvera un goût particulier et les mottons que ça provoquera lui irriteront les narines. S'il subit un examen sanguin, on y trouvera de l'urine. Cocasse, non ?

Un dernier coup d'œil dans le miroir.

– Je suis le tigre...

– J'espère pour toi, répond mon égo, inquiet. T'es sûr que détruire la voiture du mec de Julie est la meilleure façon de te faire réaimer ?

– T'aurais fait quoi, ignoble image ? C'est une petite colère de rien du tout. De toute façon, vu l'état de la bagnole, c'est plutôt une euthanasie...

Maintenant, après ce bref intermède, le plan de madame Cordeau.

– Bonne chance...

– Pourquoi la chance, égo médiocre et pessimiste ? Je suis le tigre !

Ça y est : je pousse la porte et me retrouve dans l'antre des chairs à bouffer. Je suis le tigre et il me faut une gazelle à me mettre sous la dent ! Pas une girafe !... Ni une éléphante !... Ni une bête à moustache !... Ni une...

La voilà ! C'est elle ma gazelle ! Julie mourra de jalousie.

Deux yeux noirs comme des charbons ardents! De soyeux cheveux lisses et si noirs et luisants qu'on jurerait qu'elle les lave chaque jour. Un nez au beau milieu de son visage, et ça tombe bien. Une bouche mignonne tout plein qu'on bourrerait de raisins secs et qu'on imagine mal en train de dégueuler. Deux oreilles, c'est pareil. Deux roubignoles bien pointues. Des hanches qu'on serrerait jusqu'à la mort. Des fesses que je ne vois pas très bien d'ici puisqu'elles se trouvent derrière un comptoir.

Gr! La chasse est ouverte.

– Tiens? Salut François!

La chance: voici que la plus jolie fille du monde, la miss de mon univers m'interrompt dans ma course vers ma proie. Dans un film, on n'y aurait pas cru.

– Julie? Quelle surprise! je feins. Ça fait longtemps qu'on t'a vu à Saint-Hyacinthe!

– Les études... J'avais pas grand temps à moi.

– T'es venue seule? je demande, habilement.

– *No. She's with her boyfriend*, répond celui-ci en me présentant sa main droite.

– Aye. *I am the* François, je réponds platement en lui présentant ma main gauche.

Il se ravise et opte lui aussi pour la gauche. Je la lui serre avec une vigueur dont je ne me savais pas capable.

Et j'ai bien fait de ne pas me laver les mains après avoir pissé.

– *I know,* il répond. Julie *talk-t-a lot about you. She said you were a great guy.*

– Sérieux ? *I were ?* je m'exclame, surpris, en regardant Julie.

– J'étais pas pour lui dire que j'ai sorti pendant quatre ans avec un imbécile, elle me répond.

– Qu'est-ce que tu raconteras à ton prochain chum ?... *You spike the lot English, my dere, but not the much French. And, hem, what is your priname ?* je demande justement à celui du moment.

– *Priname ?* fait-il.

– C'est con comme prénom, je souligne à Julie. C'est comme si j'achetais une voiture de marque Marque.

– Il s'appelle Rachid.

– Ah. Rachid. Très joli. Avec un prénom comme ça, pas besoin de nom de famille !

– *Do you spike English ?* s'informe Rachid.

– *Yes. That is what I am doing since the now in your hear, dere Peanut. I spike it very, but I have hard to write it... And, does he does doritos the something in the life for pay the bill ?* je traduis habilement tout en m'adressant à Julie.

– Il fait plein de choses, mais il fait aussi du body-building, me signale discrètement Julie.

Il fait des poids, le con !

– *It was great to meat you Frank. See you soon,* conclut sèchement Rachid.

I don't tink sot, je pense tout bas.

Il prend alors ma Julie par la taille et la dirige vers la piste de danse. Julie me salue platement. Il la guide et elle semble avoir confiance en lui. Je l'imagine, effrayée par un fantôme, criant « *Rachid ! At the help !* » et je me marre. Oui, je me marre.

Sa petite main est posée sur les hanches du monstre étranger. Il y a des cheveux de Julie finement coincés dans les mailles du gilet du con. Il n'a pas assez de ses petites peaux mortes plein ses draps ?

Leurs parfums s'entremêlent jusqu'à ne plus être qu'une seule et même odeur.

La leur.

À ce moment, je fais une petite bêtise...

6e épisode :

Oups !

— Oups ! ? !... C'est tout à fait toi ?

I

Je n'entendis plus rien, sinon un immonde bourdonnement. J'sais pas ce qui m'a pris. Mes yeux s'embrouillèrent. Et sans savoir pourquoi, je les ai suivis. Mon index tapota gentiment l'épaule de Rachid. Tap, tap, fit-il doucement. C'était une grosse épaule. Grosse comme ça, acquiescèrent mes mains en s'éloignant le plus possible l'une de l'autre.

Il s'est retourné. Là, je vis mon poing droit lui arriver sur le nez. Le gauche, pas plus fin, lui fonça dans le ventre. Je leur ai crié « Hé ! les gars ! Heu, les poings ! Arrêtez ! Ça suffit ! » Sans succès. Là, j'sais pas ce qui m'a pris, j'ai baissé la tête et continué de frapper des deux poings du plus fort que ma rage me le permettait... Je devais être très enragé. J'avais l'air d'un balancier. Bang ! Bang ! Bang ! Bing ! Boung !

Il s'est écroulé et ça m'a surpris. Il était costaud. Je crois que c'est la surprise, il n'a pas eu le temps de réagir et je l'avais déjà tapoché avec mes meilleurs jabs... Non, mais est-ce que j'ai une tête de boxeur ? Lucifer s'était emparé de moi, ça c'est sûr !... Une fois par terre, j'sais pas ce qui m'a pris, je lui ai donné de bons coups de pied un peu partout sur le corps. Il avait du sang sur le visage, mais j'ai cru qu'il faisait semblant ou qu'il saignait tout simplement du nez. Souvent, des gens ont des saignements de nez et c'est causé par un excès de fatigue ou de trop gros doigts. Rachid était peut-être épuisé ? C'était peut-être une coutume chez eux de saigner du nez ?

Pendant que mes pieds dansaient à la Russe sur les côtes de Rachid, j'ai vu Julie qui gueulait comme hystérique, mais j'entendais rien.

Je l'ai poussée très fort, je crois. Trop fort sûrement. Ce n'est pas ce que je voulais faire. J'ai pas réfléchi. J'sais pas ce qui m'a pris. J'espère que je ne lui ai pas fait mal.

J'ai continué de varger dans Rachid. Je ne voyais plus le sang. Normalement, j'aurais cessé. Mais mes talons lui rebondissaient au visage, comme attachés par un élastique imaginaire. J'arrivais pas à les en empêcher. J'essuyais mes bottes sur sa moustache qu'il avait raide comme des brins de tapis.

Au début, il a essayé de se protéger avec ses bras et ses mains. Mais ça n'a pas duré longtemps. Il ne bougeait plus et j'ai dû prendre ça comme une invitation. Je ne me souviens plus trop bien.

Des gros bras m'ont pogné par le cou, j'ai étouffé parce qu'on a tiré sur la corde de mes clés que je porte autour du cou depuis une mésaventure que je ne raconterai pas maintenant. Puis on m'a couché par terre. Et soudain, hop! j'entendais à nouveau. Ouf! Je n'étais pas devenu sourd!

C'est ma déposition.

Le portier a bien fait son boulot. Un peu tard, toutefois. Immobilisé, la figure plaquée contre le sol, je pouvais voir tout de même le dos de Julie accroupie sur Rachid qui ne bougeait plus. Elle hurlait des trucs pendant que des serveurs demandaient aux gens de laisser de l'air à Rachid, avant d'en faire.

Deux policiers arrivèrent si vite qu'ils oublièrent de laisser leur manteau au vestiaire. L'un d'eux relaya mon portier et s'assit sur mon dos. Son collègue jugea qu'il valait mieux appeler une ambulance. Et vite.

Vu l'état salé de Rachid, mon policier me dit qu'il m'arrêtait pour voies de fait graves.

– T'as queuque chose sur toi? demanda-t-il ensuite. Je suis passé bien près de lui répondre «Oui, un policier.»

– Non.

– T'as pris queuque chose à soir?

– Des gnocchis.

– Quossé ça?

– De la pâte aux patates avec de la sauce à spaghetti.

Il m'a signifié d'un rude coup de poing à la nuque qu'il n'aimait pas être pris pour un con. Non, je n'ai pas pris de boisson ou de drogue avant de me rendre au bar : que trois Librium, deux Valium, deux Rivoflex, deux Tofranil et quatre Pertofrane. Heureusement, j'ai coupé les Equanil, les Ativan, les Clonazepan, les Xanax et les Elavil. Faute d'argent.

Une fois au poste de police, on a pris ma déposition. J'ai obtempéré à toutes les opérations. Les policiers étaient gentils malgré tout, l'un d'eux a pris des nouvelles de mon père.

– Si vous voulez, je pourrais lui téléphoner. Vous en auriez de plus fraîches ! proposai-je.

Ce n'était pas une idée permise par la loi. Mais on me suggéra de téléphoner à un avocat. Je ne croyais pas cela nécessaire puisque je ne suis pas un criminel.

Le policier qui m'a pris en charge se disait convaincu que je n'allais qu'être cité à comparaître, que j'allais pouvoir retourner chez moi retrouver mes médicaments et mes draps tout propres. Ça augurait bien jusqu'à l'appel d'une autre auto-patrouille qui notait la présence d'une carcasse d'Impala déman-tibulée appartenant à celui que je venais tout juste de rudoyer et qui terminait avec le vol d'une excavatrice.

À la vue de tout cela et de mon numéro de téléphone indiqué sur le rapport, le lieutenant Rosaire St-Germain a jugé bon de m'envoyer passer la nuit à l'hôtel provincial. Je comparaîtrais le lendemain matin.

Dans l'enveloppe d'écrou, je n'ai déposé qu'un portefeuille rempli de photos de Julie.

II

Lorsque le téléphone sonna chez mon frère, la seule pensée qui lui vint en tête était la SAAB de monsieur Giard. Quand il a su que j'appelais de la prison, il a réveillé toute la maison tellement il rigolait. Rose est venue demander si elle allait pouvoir m'apporter des oranges et Rémy m'a dit ba, ba, ba, bi, ba.

Au palais de justice, toute la famille était là. Mon frère avait apporté sa caméra vidéo et se trouva fort déçu d'apprendre qu'il était interdit de filmer ma comparution. On m'offrit un paquet-cadeau : de la vaseline et des condoms. Harold les avait choisis striés et ça ne semblait inquiéter personne de la famille.

Ma mère avait les quételles, mais mon père fit tout ce qu'il put pour la rassurer : au pire, j'aurais à passer mes week-ends en prison ou couper des pelouses et ramasser des papiers dans les parcs. « Ça lui fera prendre l'air ! » prétendait-il. Au moins, se consola-t-il, je n'avais pas manqué mon adversaire.

La rate perforée, au grand dam de mes copains humoristes qui voyaient là un mètre de plus vers le chômage, deux côtes brisées, nez cassé et bobos multiples, je n'aurais pas misé sur Rachid lors d'un concours de beauté. Qu'il se rassure tout de même : il n'aurait pas gagné même en pleine forme, et la justice a décidé que je ne pouvais plus approcher Julie. Le chanceux n'aura qu'à s'en tenir près. Ne plus la quitter.

III

La sentence du juge Sylvio Chagnon, à défaut d'être juste, car il existe une jurisprudence, se voulait exemplaire : « On est prêt à accepter que des ivrognes ou des drogués commettent ce genre de méfait. Mais venant d'un sobre jeune homme de bonne famille – beau bonjour à tes parents –, il n'est aucunement question que l'on tolère cela ! Alors ce sera douze semaines ou dix mille dollars. »

– Douze semaines, s'il vous plaît. J'ai pas une cenne ni rien à mon agenda pour les prochains mois.

– *Bien fait pour toi !*

PLEINEFACE

– Je te trouve plutôt sévère.

– *Et pourquoi pas? Pendant toutes ces pages, tu t'organises pour faire pitié, me faire sentir coupable et tout! Mais il n' y a jamais un mot sur le genre de gars que tu étais vraiment lorsque nous étions ensemble et sur les conneries que tu as faites! Tu as creusé toi-même ton trou, ti-gars.*

– Pourquoi revenir sur le passé?

– *Tu y reviens toi-même dans ton torchon: « J'ai besoin de lire au lit avec ses cheveux dans la bouche pendant que ses poumons ronflent contre les miens qui veillent. » Pathétique. Chaque fois que tu étais sensible, romantique et attentionné, je dormais. Étrange, non?*

Tu n'écris que ce que tu veux te rappeler. Et c'est facile. Mais moi, je me souviens de tout ce dont tu ne parles pas. Tu veux que j'énumère la liste de mes pires souvenirs?

– Pas ici. Il y a des gens.

– *C'est ça... J'espère que tu n'as fait pleurer personne avec ton histoire. Parce qu'il s'agit bel et bien d'une histoire. À part les passages où t'es minable. Et j'espère que tu n'écriras pas ce que je suis en train de te dire. Tu t'organiserais pour encore prendre une position piteuse.*

— Ben quoi ?... Heu, dis, tu ne veux pas revenir avec moi ?

ANNEXES

La nécessité de cette annexe étant discutable, rien ne vous force à en faire lecture. Conçue dans un dessein parfois ludique, parfois pédagogique, elle révèle toutefois certains compléments d'information qui peuvent souvent s'avérer pertinents, sinon révélateurs d'un auteur qui ne sait pas quand s'arrêter...

La Svelte

1. Le fait que Jeanne soit insensible au toucher n'exclut pas qu'elle ait des désirs sexuels. Nous conviendrons qu'il s'agit alors pour elle ou pour un partenaire d'une perte de temps et d'énergie que de vouloir stimuler son clitoris inutile ou fouiller son intérieur à la recherche d'un point G inexistant. Toutefois, plusieurs hommes ont affaire à des femmes frigides et ignoreront toujours cette réalité. S'il est si facile pour certains hommes d'ignorer cet état de fait, Jeanne croit qu'un jour elle pourra, elle aussi, se convaincre qu'elle jouit vraiment.

2. Un jour, un peintre en bâtiment fit appel à Jeanne. Il avait oublié son échelle dans le coin

d'une pièce dont il venait de terminer la peinture du plancher. Jeanne étant si légère qu'elle peut marcher sur de la peinture fraîche, elle aurait pu récupérer l'échelle sans ruiner l'ouvrage du peintre. Elle refusa néanmoins, car elle souffrait d'un gros rhume et voisinait, à ce moment-là, les quarante-cinq kilos. En plus de refuser ce service au peintre, elle lui reprocha sévèrement d'utiliser une échelle pour peinturer un plancher, méthode jugée inconcevable, même si, de cette façon, on évite les malheurs que causerait un fou qui décide de retirer l'échelle.

3. Jolie méthode trouvée par l'auteur pour qu'une œuvre littéraire passe à la postérité.

La Clowne

4. Le chameau et le dromadaire blatèrent tous les deux. Il est donc difficile de les reconnaître dans le noir, à moins d'être un hibou ou de porter des lunettes à l'infrarouge. Le hibou hulule et les lunettes à infrarouge coûtent cher.

5. En faisant mention de la discrimination des notes noires au profit des blanches, l'auteur tient à passer un message. Tout cela figure évidemment bien dans le mouvement de pensée politically correct qui sévit ces temps-ci et qui vaudra peut-être un prix littéraire à François Avard. Prix qu'il acceptera en dollars, en pneus d'hiver ou en bières...

6.   Contrepèterie:

Permutation de deux ou plusieurs unités
(symétriques) de même rang au sein d'un
énoncé afin de produire un second énoncé.
Ex.: «... qu'on y plèche sa crasse dessous»
pour «... qu'on y place sa crèche dessous»
(*La Moureuse*)

Pseudo-lapsus:

Reprise volontaire, faux bégaiement.
Ex.: «Co... Co... Corico!» (*La Moureuse*)

Anagramme:

Redistribution de lettres au sein d'un même
mot.
Ex.: bison ravi pour Boris Vian (annexe,
La Moureuse)

Modification lexicale:

Par substitution de lettres, par ajout de
lettres ou par suppression de lettres.
Ex.: «Libéraux Féodaux» (*La Dévouée*)

Homonymie:

Répétition d'un même son.
Ex.:«... musique barbare des bars barbants»
(*La Svelte*)
«...savante savate sauvage» (*La Dévouée*)

Polysémie:

Utilisation d'un mot ayant plus d'un sens.
Ex.: «L'écureuil [...] recevait ses amis
suisses en vacances» (*La Parfaite*)

Hypertextualité :

Relation unissant un texte B (hypertexte) à un texte A existant antérieurement (hypotexte).

Ex. : « Gilles est allé au marché, *his little basket under his arm*, etc. » (*La Clowne*) qui se rapporte à la chanson *I Went To The Market* de Gilles Vigneault.

Incompatibilité logique :

Mettre ensemble des choses qui ne vont ordinairement pas ensemble.

Ex. : « ...elle n'a jamais loué un rôti de veau pour le regarder dans son micro-ondes. » (*La Parfaite*)

Contradiction :

Réunion de deux éléments dont l'un nie l'autre.

Ex. : « ... une bête en voie de disparition soutienne un miroir. » (*La Moureuse*)

Règle de trois :

Énumération de trois éléments dont le troisième est discordant.

Ex. : « Les enfants la ruèrent de coups de pied, de coups de poing et de coups exorbitants. » (*La Ffreuse*)

Tautologie :

Redire la même chose de façon plus ou moins différente.

Ex. : « Et ces épreuves sont éprouvantes. » (*La Parfaite*)

Double sens :

Peut être fondé sur l'homophonie ou l'homographie.

Ex. : « ... aria composée de cris persans »
(*La Svelte*)
Expansion exagérée du discours :
Par répétition, énumération ou accumulation.
Ex. : Énumération de techniques humoristiques (*La Parfaite*)
Réification de l'abstrait :
Prendre à la lettre une expression figurée.
Ex. : « Le naturel revient au galop... Joli nom pour un cheval... » (*La Clowne*)
Ex. : « ... hurla le docteur en déposant son trombe près de la porte. » (*La Dévouée*)
Exagération :
Grossir un fait.
Ex. : La Svelte meurt après avoir maigri jusqu'à son dernier kilo. (*La Svelte*)
Comparaison :
Comparer un élément à un autre.
Ex. : Les insultes lancées à la Ffreuse. (*La Ffreuse*)
Dégueulasserie :
Évoquer quelque chose d'ultradégueux.
Ex. : « ... Normand a dû avaler le bouquin *L'Esprit de bottine* » (*La Parfaite*)
Invention lexicale :
Utiliser des termes qui n'existent pas.
Ex. : « ... tripatouillant l'intérieur. » (*La Dévouée*)
Incompétence linguistique :
Difficulté langagière exagérée.
Ex. : Mme Pion, M. Goulet ou Mme Grenon. (*La Dévouée*)

Calembour classique :

> Procédé usant d'homonymie, d'homo-
> phonie ou de polysémie.
> Ex. : Le Père Formance, le Père Clus (La
> *Ffreuse*)

Bonne vieille blague plate :

> Mise en situation d'un Italien, d'un
> Américain, d'un Québécois et d'un Newfie
> où l'Américain ne passe jamais pour un
> imbécile.
> OU
> Faire une utilisation judicieuse d'un mur
> solide.
> Ex. : «... la blague de la mouette rieuse qui
> voulait entrer dans la police, que la police
> s'est tassée et que la mouette rieuse est
> entrée dans le mur. »
> (*La Ffreuse*)

La Moureuse

7. L'auteur a volontairement évincé la zone
réservée à la faune canadienne. Viane et Robert
auraient pu y observer des castors et des Amé-
rindiens dresser des barrages, des orignaux
trôner au-dessus de jolies cheminées, un bison
ravi sur une tablette de bibliothèque, des
huards et des *Blue Nose* dans leur environnement naturel. Les limites de cette zone sont
très mal surveillées et il n'est pas rare que des
charognards y entrent ou en sortent sans problème. Le roi des animaux canadiens est un

vieux dinosaure de l'ère secondaire, au grand détriment des poissons dont il se gave sans compter.

La Ffreuse

8. Dans le dialecte romos, si l'on mélange le η et le β, et que l'on dit ηου διεθ ϑθε ωοθσ τεσ ψθριεθχ au lieu de βου διεθ ϑθε ωοθσ τεσ ψθριεθχ, on offre à l'auditeur un calembour fort embarrassant pour son émetteur, surtout s'il est prononcé après une pêche peu fructueuse, évidemment.

La Dévouée

9. Parmi les autres causes qu'a épousées Jeannette, notons la décentralisation du système solaire, la fin des hostilités entre les bactéries dans la culture du yogourt, la dépollution du parlementarisme, l'émancipation des lignes noires sur nos autoroutes, la recherche anthropologique des jours manquant au mois de février et la réintégration en société des anorexiques souffrant d'hémorroïdes.

10. Le décès de l'épouse de monsieur Goulet est assez particulier. Il inspira d'ailleurs François Bruyand l'auteur de *Comment réussir à mourir avec 237 dollars en poche,* nouvelle littéraire incluse dans le roman *L'Esprit de bottine*[*].

---

[*] François Avard. *L'Esprit de bottine*, Montréal, Les Intouchables, 2006, 264 p.

Bruyand se servit de ce récit troublant pour faire mourir maman Poissan, la mère de Robert Poissan, un personnage mythique de la littérature contemporaine. Évidemment, vous feriez mieux de vous procurer au plus vite *L'Esprit de bottine* avant que son éditeur n'use de toutes les copies invendues pour chauffer ses luxueux bureaux.

11. Surprise! Il n'y a plus d'annexe!

Table des matières

Gros, gros merci...

Carmen P. A. et Marie O. pour la patience,

Thérèse R. C. « miss Apple » pour les conseils,

Claudette et Gilles B. pour les outils,

Martin A. « Photocop »,

Louise R. « madame » et Stéphane B. « Gnou » pour les boulots et le fric,

Marc B. pour la langue de bœuf,

Yvon F. et Pierre L. pour la première chance,

Renaud, Julien, Thierry et Marie-Pierre pour m'avoir inspiré les meilleurs moments de ce bouquin,

Stéphanie C, bébé fragile,

tous les autres pour d'excellentes raisons,

et Julie C. pour mille milliards d'univers de mille raisons qui nécessiteraient une autre annexe.

MEMBRE DU GROUPE SCABRINI

Québec, Canada
2006